LES GRANDS
IMPOSTEURS

Dans la même collection
CHEZ PRESSES POCKET

Pierre Antilogus — Jean-Louis Festjens
LE GUIDE DU JEUNE PÈRE

Pierre Antilogus — Jean-Louis Festjens
LE GUIDE DU JEUNE COUPLE

François Cavanna
MAMAN, AU SECOURS!

Brigitte Kernel — Eliane Girard
LES MECS

CAVANNA

LES GRANDS
IMPOSTEURS

Dessins de Cavanna

PRESSES DE LA CITÉ

La plupart de ces textes sont inédits.
Certains ont été publiés dans Hara-Kiri, journal bête et méchant.

© Presses de la Cité, 1991
ISBN 2-266-05752-9

LES IMPOSTEURS, CE FLÉAU

Nous naissons tous beaux, bons et intelligents

Beaux, c'est l'évidence même, je ne vais donc pas perdre mon temps à vous le démontrer. Jetez un simple coup d'œil dans un miroir, vous serez convaincu en même temps que charmé.

Bons, il suffit de regarder voler les mouches pour nous persuader que nous le sommes. Vous avez vu toutes ces mouches ? Si nous n'étions pas bons, nous leur aurions arraché les ailes et elles ne voleraient pas.

Intelligents. C'est là que vous m'attendez. Il existe des gens bêtes, vous écriez-vous, j'en ai rencontré. Je dis « Minute ! » Et je répète : nous naissons tous intelligents. Tous exactement aussi intelligents, c'est-à-dire très intelligents. Nous le resterions toute la vie, et même nous ferions encore des progrès, s'il n'y avait pas les imposteurs.

Ce sont les imposteurs qui nous rendent bêtes. Les imposteurs sont un fléau. Nous devons enseigner aux petits enfants à haïr les imposteurs et à leur glisser dans le cou des choses froides et gluantes, sans dire toutefois à leur maman que c'est le monsieur, là-bas, celui qui court, oui, qui le leur a conseillé.

FREUD

Vᴇʀs la fin du siècle dernier, il y avait, à Vienne, l'altière capitale de l'Austrongriche, un modeste médecin de quartier qui s'appelait Sigismond Lajoie. Il nous faut tout d'abord en quelques mots situer Vienne et l'Austrongriche, sans quoi vous n'allez rien comprendre.

L'Austrongriche était alors un puissant empire, à la vérité quelque peu mangé aux mites mais il ne le savait pas, avec à sa tête un puissant empereur, pour tout dire considérablement gâteux mais lui non plus ne le savait pas. Les empires et leurs empereurs ne savent jamais ces choses, si bien qu'ils en crèvent un jour avec un bref étonnement dans le regard. Du moins crèvent-ils heureux, et que demander de plus dans cette vallée de larmes ?

L'empire d'Austrongriche était puissant bien que peu ensoleillé. Il s'étendait sur un espace immense, depuis les premières pentes des Alpes jusqu'aux dernières des Carpathes, mais ce n'étaient que creux et bosses d'un bout à l'autre. Les bosses, on ne peut pas s'y tenir dessus, on finit toujours par rouler en bas, dans les creux, c'est une grande loi de la nature. Et donc la totalité de la population austrongri-chienne vivait tassée dans les creux, là où il fait toujours si noir et si humide. Voulez-vous bien considérer, en outre, que les pentes au-dessus des creux étaient couvertes d'épaisses forêts où croissaient en rangs alternés des sapins fort serrés et des ours fort velus qui ne laissaient pas passer les bienfaisants rayons du soleil, vous aurez une idée de l'ambiance typique où bai-gnait l'Austrongriche.

Une vie sans complexes...

Dans un creux un peu plus grand que les autres s'épanouissait Vienne, ville admirable. Un fleuve féerique la traversait : le légendaire Bodanubbleu dont les eaux avaient la couleur du saphir et sentaient bon le chocolat chaud à la vanille. Des barques fleuries sans cesse descen-daient et remontaient le courant, poussées par de sveltes gondoliers qui chantaient à pleine voix « O sole mio » car ils avaient quitté Venise où l'on crevait de faim pour venir manger le pain brioché des Viennois.

Afin de lutter contre le climat déprimant du pays, les Viennois avaient fait de leur ville la métropole du plaisir et de la belle vie. Les

Viennois mâles étaient tous de fringants officiers aux blondes moustaches, les Viennoises des veuves joyeuses. Les Viennoises se mariaient très jeunes afin de devenir veuves joyeuses avant les premiers bourrelets sous le menton, particulièrement précoces à Vienne à cause du chocolat chaud à la vanille distribué ici par tous les robinets comme ailleurs l'eau courante. Elles choisissaient leurs premiers maris dans les petites annonces des journaux étrangers. Les soupirants étrangers savaient ce qui les attendait, l'étreinte mortelle de la Viennoise ayant de par le monde une sinistre réputation, mais ils y consentaient volontiers car les Viennoises avaient aussi la réputation, justifiée ou usurpée, d'être dotées d'un vagin en forme de petite main musclée avec de petits doigts agiles qui tapotaient sur l'organe visiteur un air de clarinette à trois temps, et aussi d'un col de l'utérus (en austrongrichois populaire : « museau de tanche ») terminé par de souples lèvres capables de bécoter à petits bisous très émouvants l'extrémité dudit organe. Le mari ne résistait pas à la nuit de noces, il expirait avec un grand cri de volupté dans un prodigieux jaillissement de liqueur séminale, car la Viennoise, preste, avait sauté de côté juste à temps, une veuve enceinte ne pouvant en aucun cas être considérée comme une veuve joyeuse au plein sens du terme.

Les heures de la vie viennoise étaient rythmées par les Tziganes, objets utiles que l'on ne pouvait confondre avec les officiers parce que leurs moustaches étaient noires et leurs galons beaucoup plus larges. Les Tziganes jouaient du violon, à trois temps, en tapant du talon sur le temps fort. Les Viennois se nourrissaient d'escalopes panées en buvant du chocolat chaud parfumé à la vanille. Quelle vie délicieuse, vous exclamez-vous, et comme ces gens étaient heureux !

Justement, non. Ils n'étaient pas aussi heureux que ça. Pourquoi donc ? Eh bien, la santé, voyez-vous... Les habitants de Vienne avaient toujours, suivant l'éloquente expression locale, un « pet de travers ». Par exemple, ils vomissaient beaucoup. La Grande Roue (moyen de transport économique, comparable à notre métro, mais qui vous déposait exactement à l'endroit où on l'avait pris) et le chocolat chaud, remèdes couramment recommandés par les médecins viennois, n'amélioraient que bien rarement ce symptôme. Vienne était une ville encombrée de médecins. Tous les culs-terreux de l'empire n'avaient qu'une idée : envoyer leur fils à l'école de médecine du village afin qu'il apprenne à lire (tout au moins les grosses lettres) et à enfoncer deux doigts dans la gorge d'une veuve joyeuse sans froisser ses voiles de deuil. Quand on savait cela, on était reçu médecin, on partait pour Vienne dans un traîneau à fleurettes et à clochettes, et puis on faisait fortune.

… c'est comme…

La carrière du docteur Sigismond Lajoie n'avait pas débuté autrement. A peine peut-on mentionner un bref détour par Paris dans le traîneau à clochettes. Dans cette ville exotique et frivole, le jeune Lajoie, grâce à son nom à la consonance locale, avait pu se faire admettre aux cours du professeur Charcot, lequel soignait les malades par hypnose en leur donnant l'ordre d'être guéris ou alors je supprime la ration de pinard. Ces méthodes révolutionnaires avaient tout d'abord intéressé le jeune Austrongrichien, jusqu'au moment où, ayant honoré de son coït une malade atteinte de blennorragie croûteuse qu'il venait de voir guérir sous ses yeux, il lui fut donné de constater le peu de fiabilité de la guérison hypnotique. Il dit : « Ach, Vrantzais, gross filous ! » et il regagna dare-dare sa chère Austrongriche.

A peine installé à Vienne, Sigismond Lajoie dut, à cause de la xénophobie des Viennois, vienniser son nom. En dialecte local, Lajoie se dit « Freud » (prononcer « Froilleude ») et Sigismond se dit Siegmund (prononcer « Zickmountt »). Le docteur Zickmountt Froilleude se fit graver une belle plaque de cuivre, s'acheta un stéthoscope, et puis il attendit son premier client en suçant des cachous.

Le premier client fut une cliente. Vous vous y attendiez, mais vous êtes bien content tout de même. Moi aussi. Froilleude (écoutez, je crois qu'on ferait mieux d'écrire « Freud » dès maintenant, mais rappelez-vous bien de prononcer « Froilleude ») fit déshabiller la dame, sauf le chapeau, bien que ce fût d'un grand mal de tête qu'elle se plaignît, mais le chapeau était un de ces chapeaux avec des fleurs, des oiseaux et des bols de chocolat à la vanille, bien chaud surtout, à la mode cette année-là, il tenait par des épingles et des serre-joint, très compliqué, et d'ailleurs il n'y avait pas assez de place dans le cabinet autre part que sur la tête de la dame. Au troisième mois de leur veuvage, les veuves joyeuses avaient tout juste droit au demi-deuil. Il n'y avait donc ni cerises, ni citrouilles, ni cacatoès sur le chapeau.

Freud saisit son stéthoscope. Par le mauvais bout. Le stéthoscope venait tout juste d'être inventé, tout juste après que Freud eut quitté l'école. Il n'était donc guère familiarisé avec cet instrument ultra-moderne, mais le stéthoscope était furieusement « à la mode » (en français dans le texte), les malades le réclamaient, un médecin qui ne s'en fût pas servi se fût irrémédiablement coulé. Freud s'y prit comme un cochon. Il fit très mal à la dame, en des endroits qui n'avaient absolument rien à voir avec l'usage d'un stéthoscope. Chose plus grave, il se fit mal à lui-même : un ongle retourné. Quand la dame se fut enfuie en hurlant et en oubliant ses vêtements (en oubliant également de payer la consultation, mais Freud avait son adresse, il lui enverrait sa note), Freud essuya le stéthoscope après les rideaux et fit entrer le client suivant.

... une choucroute...

C'était une cliente — Deux fois de suite ? Vous nous gâtez ! — Freud, par précaution, avait enfoncé d'avance les deux machins pour les oreilles dans ses oreilles, si bien que le machin restant, le gros bout, ne pouvait être que le bout pour appliquer sur la malade, impossible de se tromper. La malade d'ailleurs faisait preuve de beaucoup de bonne volonté. Elle empoigna à deux mains son sein gauche et demanda :

— Dessous ou dessus, docteur ?

Freud, un peu étonné, fit :

— Pardon ?

— Votre instrument, là, vous me l'appliquez sur le sein ou sous le sein ? Si vous le voulez dessus, bon, ça va. Si vous me dites « dessous », alors je dois envoyer le sein par-dessus l'épaule, comme ça.

Elle envoya le sein par-dessus l'épaule, comme ça. Flaouff ! De dos, on eût dit un meunier portant un sac de farine, un gros sac. A tout hasard, Freud dit :

— Dessus.

Il posa donc le bon bout du stéthoscope sur le bout du sein de la dame, ça s'adaptait ric et rac, comme une trayeuse électrique, et il écouta. Il n'entendit rien. Il eut un regard de triomphe.

— Ce n'est pas au sein que vous avez mal, dit-il. Pas au sein gauche, en tout cas. On n'entend rien. Pas un cri de douleur. Tout à fait normal.

Elle béa d'admiration.

— Vous êtes très fort, docteur. En effet, je n'ai pas mal là.

Il fut modeste.

— C'est un métier, Madame. Maintenant, dites « trente-trois ».

— Oui, docteur.

— Non. Pas « Oui, docteur ». Trente-trois.

— D'accord.

— Non. Pas « D'accord ». Trente-trois.

Elle se recueillit brièvement et dit :

— Papa, papa ! Ne mets pas cela à maman ! C'est beaucoup trop gros ! Cela va lui faire mal ! Mets-moi-le plutôt à moi, mon petit papa !

Le docteur Freud, étonné, regarda le gros bout du stéthoscope, le secoua, regarda la dame. La dame rougissait sous son fard.

— Vous êtes sûre d'avoir dit « trente-trois » ? dit-il.

Elle éclata en sanglots.

— Ah, docteur, s'écria-t-elle, vous connaissez maintenant mon terrible secret! Cela m'a échappé, je ne sais comment, je n'y pensais même pas.

— Mais encore?

— Eh bien, voyez-vous, c'est un rêve. Un rêve que je fais, chaque nuit, et qui me poursuit depuis ma petite enfance. Mais, aussitôt réveillée, j'oublie tout. Il ne me reste que cette phrase mystérieuse, pour moi totalement incompréhensible, qui me hante et m'obsède. Pardonnez-moi, docteur, oubliez cela et poursuivez votre examen.

— Cependant, Madame, si vous permettez... Une simple question. Monsieur votre père possède-t-il effectivement quelque chose que l'on peut qualifier de « gros »? Un objet, une arme, que sais-je? Curiosité innocente. Je suis intrigué. Eh bien?

— Non, docteur, je ne vois pas. Pas que je susse.

Le docteur Freud bondit.

— Pourquoi cet imparfait du subjonctif, Madame? Alors que la syntaxe exige un présent? Pourquoi ce lapsus? Vite, Madame, répondez. Ne réfléchissez surtout pas! Vite, Madame!

Elle se troubla.

— Je ne susse... Euh... je ne lèche... Ah, mais!... Je ne sais pas. Voilà : je ne sais pas.

— Encore un lapsus, Madame! Que de lapsi!

Freud arpentait fiévreusement son cabinet. Une grande excitation se peignait sur ses traits intelligents. Des syllabes apparemment sans signification explosaient sur ses lèvres.

— Il y a quelque chose, là ! Je le pressens... Je ne sais pas quoi, mais un sûr instinct me dit que je suis sur une piste !

Il regarda autour de lui, l'œil hagard.

— Il me manque quelque chose... Un objet, un seul... Mais quel ?

Il ferma les yeux, serra son front entre ses mains.

— Quelque chose d'horizontal, à quatre pattes... Un chien... Une femme... Non...

Son regard tomba sur le divan.

— Un divan ? Voilà ! Un divan...

Il s'allongea sur le divan.

— Demandez-moi de vous dire quelque chose, Madame.

— Pardon ?... Que je vous demande de me dire quelque chose ? Quelle chose, docteur ? Puis-je me rhabiller, docteur ?

— N'importe quoi. Demandez-moi de vous dire n'importe quoi.

— Docteur, dites-moi quelque chose, n'importe quoi. Et puis-je me rhabiller, s'il vous plaît ? J'ai un peu froid.

— Quand j'étais petit, j'aimais bien tirer sur ma quéquette pour pisser très loin. Je voulais pisser plus loin que papa. Quand maman faisait des confitures, je pissais dedans. Maintenant, je pisse au lit...

— Dans le drap brodé avec amour à vos initiales par votre maman... Puis-je me rhabiller ?

— Comment le savez-vous ?

— Je ne sais pas, j'ai dit ça comme ça. Puis-je...

— Savez-vous qu'il y a quelque chose, là ? Je tiens quelque chose... La quéquette, la pisse, maman... Je brûle... Papa n'aurait pas pu pisser aussi loin que moi... Il était si fatigué... Maman disait toujours que papa était si fatigué. Elle le disait au facteur. Pas comme vous, qu'elle disait au facteur. Vous, vous êtes si fort, vous ! Mais, moi, je lui ai cassé sa pipe, au facteur. Sa belle pipe bavaroise avec les belles boules...

Soudain, il se dresse sur son séant, son front irradie la joie ineffable de la découverte scientifique.

— Mais c'est élémentaire ! Je comprends tout ! Je veux tirer un coup avec ma mère, tiens donc ! Et châtrer mon père ! Mais mon père inconsistant ayant été éliminé par le puissant facteur, je châtre le facteur ! Youpi ! Ah, c'est bon, c'est bon ! Où vais-je chercher tout ça ? Je viens de créer une science, Madame. Saluez.

— Docteur...

— Oui ?

— Euh... C'est moi, la malade.

— Ah, oui, tiens, c'est pourtant vrai.

19

Elle désigne le divan d'un air gourmand.

— Je... je peux ?

— Mais comment donc, chère madame.

Il lui cède la place.

— Docteur, je me rappelle tout. Mon rêve, et même ce que j'avais vu avant mon rêve. Tout. Plein de cochonneries. Tout plein, tout plein.

— Je vous écoute.

A partir de là, c'est du secret professionnel.

... sans saucisses.

Cette première psychanalyse était évidemment encore bien rudimentaire, mais déjà l'essentiel était là, à savoir :

● Faire faire tout le travail par le malade.

● Ne jamais toucher le malade, ni se laisser toucher par lui.

● Ne jamais répondre à ses questions.

● Se tenir derrière le malade (certains ont l'haleine forte, et de toute façon il n'a pas besoin de voir que vous en profitez pour faire votre petite lessive).

● Ne pas s'occuper de maladies salissantes ou contagieuses.

● Ne pas avoir à grimper dans les étages.

● Ne pas être dérangé la nuit pour les urgences.

● On paye comptant et en espèces.

- Toute heure entamée est due en entier.
- Tout rendez-vous décommandé doit être payé.

Par la suite, Siegmund Freud précisa sa doctrine, y introduisit les concepts amusants de complexe, d'inconscient, de censure, de moi, de ça, de surmoi, d'Œdipe... La psychanalyse avait désormais tout ce qu'il faut pour conquérir le monde. Elle n'y manqua pas.

La psychanalyse a bouleversé notre compréhension de nous-même et de l'univers qui nous contient. Elle a partout remplacé la médecine de papa, mais aussi la morale, la religion, l'histoire, la géographie, l'économie politique, l'art, le cunnilingus et le cassoulet toulousain. On se demande comment nos ancêtres ont pu survivre sans la connaître. C'est encore elle qui nous donne la réponse : ils ont pu survivre parce qu'ils l'attendaient.

Autrefois, nous étions malades et malheureux sans savoir pourquoi. Aujourd'hui, nous savons pourquoi : c'est parce que nous avons eu envie de couper les couilles à notre papa quand nous étions petit pour les lui faire bouffer tandis que nous aurions fait l'amour à notre maman. Nous savons cela, et nous savons que ces impulsions n'avaient rien de coupable, qu'elles étaient même tout à fait louables et signe de bonne santé, mais nous sommes malheureux quand même puisque nous ne l'avons pas fait en temps utile. En temps utile, notre maman se serait peut-être laissé faire — toutes des salopes ! — mais notre papa certainement pas, et comme c'était lui le plus costaud... Et il ne servirait à rien de le faire maintenant, il est trop tard, les complexes se sont noués irrémédiablement. Heureusement, nous ne sommes pas seul, l'analyste est là, il nous aide, il nous tiendra la main jusqu'à la fin, jusqu'à la fin pour cinq cents francs les quarante minutes, c'est donné.

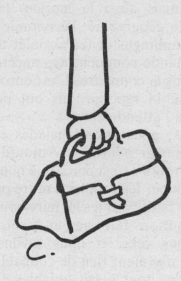

JEANNE D'ARC

Deux terribles fléaux ont ravagé la France pendant le Moyen Age : la Grande Peste Noire et Jeanne d'Arc.

La France s'est tant bien que mal rétablie après les effroyables hécatombes de la Grande Peste Noire. Elle ne s'est jamais rétablie des dégâts causés par Jeanne d'Arc. Jamais.

On peut affirmer hardiment que, s'il n'y avait pas eu Jeanne d'Arc, la France serait à l'heure actuelle la première puissance mondiale, et de très loin. Infiniment plus puissante que les Etats-Unis d'Amérique qui font tant les fiers. D'ailleurs, les Etats-Unis d'Amérique seraient une charmante province française. Vous voyez, quel dommage pour la France ! Quelle catastrophe pour la civilisation ! Français, mes frères, Français dignes de ce beau nom de Français, unissons nos souffles et, bien ensemble, de toutes nos forces, crachons un épais mucus à la face de la statue de Jeanne d'Arc la plus proche, il y en a une dans chaque sous-préfecture, tout exprès réservée à cet usage.

Le Moyen Age, donc. Le Moyen Age,

comme son nom l'indique, n'est pas une époque historique à proprement parler, juste une espèce de trou entre deux époques avouables. Etudier le Moyen Age serait vraiment perdre son temps à des bêtises, et si nous ne pouvons tout à fait nous dispenser de l'évoquer ici, la faute en est à cette Jeanne d'Arc, objet de notre présente causerie, qui jugea bon de vivre à cette époque sans queue ni tête, nous vous en demandons bien pardon mais la science commande, nous ne nous déroberons pas.

— Jehanne ! Jehanne !

Sous le microscope, le Moyen Age nous apparaît comme un gros foutoir mal éclairé, avec dedans des gens pas très propres et un peu bêtes, qui portaient sur la tête des chapeaux pointus garnis de plumes d'autruche et, plus bas, des pantalons en fer forgé munis de charnières pour pouvoir plier les genoux. Il y avait des curés, des moines, des bonnes sœurs, des chevaliers, des troubadours, des montreurs d'ours, des fées, des dragons, des tire-laine, des vérolés, des ivrognes, des pendus, et il y avait le Roy. Il y avait aussi des paysans, mais on ne les voyait pas, ils étaient toujours partis à la campagne bricoler je ne sais quoi.

Au Moyen Age, les gens étaient plutôt malheureux, mais il ne faut pas leur en vouloir : ils ne connaissaient pas le tout-à-l'égout ni le papier hygiénique parfumé, ils faisaient donc caca par la fenêtre et se torchaient d'un panier. Ils n'avaient pas non plus l'eau courante, alors ils se débarbouillaient aussi d'un panier, le même, oui, bien sûr. Ils n'attrapaient guère de maladies, parce que tous ceux qui auraient pu en attraper, les faiblards, les douillets, à peine venaient-ils au monde qu'ils se disaient : « Merde ! En plein Moyen Age ! Pas de chance ! » et ils préféraient mourir sans insister. Ceux qui se cramponnaient étaient donc de fameux gaillards, pas faciles à battre au bras-de-fer. En fait, ils n'attrapaient qu'une seule maladie : la Grande Peste Noire. Mais alors, celle-là !... Ils étaient donc plutôt malheureux, dans l'ensemble, mais ils se couchaient en pensant qu'ils vivaient une époque de transition, ce qui n'est pas donné à tout le monde.

Augmentons le grossissement et dirigeons notre objectif sur la Lorraine... Voilà. La Lorraine se trouvait alors à peu près où elle se trouve aujourd'hui, ça facilite bien. Cherchons le village de Domrémy... Nous y sommes. Que voyons-nous ? Des moutons. Au milieu d'eux, quoi donc ? Un berger. Mais non, regardez mieux. Cela joue-t-il du pipeau ? Non, cela tricote. Alors, ce n'est pas un berger. Les bergers jouent du pipeau. Les bergères tricotent. Nous avons donc affaire à une bergère.

Cette bergère est assise sur une souche : c'est une petite feignante. Apprenons à la mieux connaître. Son jupon est en loques : c'est une petite désordonnée. Par les trous, on voit ses cuisses maigres et bleuies par le froid : c'est une petite allumeuse. Elle mord d'un air affamé dans un quignon de pain noir pétri de crottes de mouton et de brique pilée, nourriture ordinaire des paysans lorrains au Moyen Age, et puis elle recrache la bouchée avec dégoût et vomit de la bile : c'est une petite gourmande. Quand je vous aurai dit qu'elle rêve de chevaucher et qu'elle n'aime pas les Anglais, nous pourrons conclure que c'est une petite prétentieuse et une petite raciste.

Tiens, la voilà qui regarde en l'air. Faisons-nous attentifs. Qu'est-ce qui peut bien motiver l'intérêt d'une petite bergère feignante, désordonnée, allumeuse, gourmande, prétentieuse et raciste dans le feuillage d'un chêne ? Approchons-nous. Ah, ah, nous voyons à notre tour. Sur une des basses branches du chêne un homme se tient debout, un homme jeune et beau, vêtu d'une longue robe blanche dont les plis tombent bien. Ses charmants pieds nus s'agrippent à la branche comme des pattes d'oiseau, une immatérielle lumière irradie de son visage parfait, ses longs cheveux blonds tombent sur ses épaules comme une cascade de soie et, dans son dos, deux grandes ailes imma-culées battent l'air à petits coups pour le rafraîchir, car il fait vraiment très chaud pour la saison.

— Bon. C'est l'archange Saint Michel, dites-vous, car vous l'avez reconnu. Et alors ?

Je sais. Pour une personne équilibrée, il n'y a pas là de quoi s'exciter le tempérament. Vous rencontrez l'archange Saint Michel perché sur une branche, vous lui dites « Bonjour ! Ça roule, pour vous ? » si vous êtes catholique pratiquant ou même simplement baptisé. Si vous êtes inscrit à l'Union des Athées, vous tournez la tête d'un air pincé et vous ne lui rendez même pas son salut. Mais essayez maintenant de vous mettre dans la peau d'une petite bergère feignante, désordonnée, allumeuse, gourmande, raciste et prétentieuse. Préten-tieuse, surtout. J'insiste tout particulièrement sur « prétentieuse ». Eh bien, vous tombez à genoux, vous joignez vos mains dans un geste plein de piété, vous penchez légèrement la tête sur le côté et vous dites à l'archange Saint Michel, de cet air soumis et cul-bénit si efficace sur les archanges :

— Je suis la servante du Seigneur. Qu'il soit fait en toutes choses selon Sa divine volonté.

Eh, oui. C'est précisément ce que fit Jeanne d'Arc (car c'était elle).

L'archange Saint Michel, un peu étonné, lui répondit, la bouche pleine car il était en train de manger une pomme qu'il venait de cueillir sur le chêne, vous savez comment sont ces archanges, il n'est nulle part question de la sueur de leur front dans leur contrat, à ceux-là, lui, donc, répondit :

— Ah, oui ?... Mais je ne t'ai rien demandé, petite.

— Non, dit Jeanne, pas encore. Mais je sais que vous allez me demander quelque chose, puisque Dieu vous a envoyé à moi. Et je sais même quelle est cette chose que vous allez me demander.

— Voyons voir ça, dit l'archange.

— Vous allez me demander de vous permettre de me saluer, parce que je suis bénie entre toutes les femmes, vu que le Seigneur est avec moi et que le fruit de mes entrailles est béni. Alors moi je vous dis d'accord, vous pouvez me saluer, faut pas vous gêner.

Vous voyez, quelle prétentieuse !

L'archange Saint Michel avala sa dernière bouchée de pomme, jeta le trognon par-dessus son épaule, se torcha la bouche d'un élégant revers de bras et dit :

— Eh, ben...

Cependant Jeanne d'Arc restait à genoux, la tête légèrement de côté comme elle avait vu sur le vitrail de l'église de Domrémy quand les Anglais ne l'avaient pas encore brûlée avec tous les Domrémiens qu'ils avaient pu enfermer dedans, ce qui n'est d'ailleurs pas une raison pour devenir bêtement raciste.

— Ecoute, dit l'archange, pour cette affaire,

tu arrives trop tard. C'est déjà réglé, tout ça, depuis longtemps. Ce n'était d'ailleurs pas une tellement bonne idée, finalement...

— Justement, dit Jeanne. Quand je vous ai vu, j'ai pensé que le Seigneur voulait recommencer, mais en mieux, cette fois. Une vierge lorraine, c'est quand même plus convenable qu'une Juive, même vierge, du point de vue christianisme, je veux dire. Et puis, ces Orientales, c'est formé très tôt, d'accord, mais ça se fane vite, oh là là, à dix-huit ans ça pendouille de partout, une horreur...

— Ecoute, petite...

— Vous ne croyez pas que je suis vierge, c'est ça ? Alors, là, je suis bien tranquille ! Vous voulez voir ?

— Quoi qu'y gnia ?

Avant que l'archange eût pu répondre, elle avait soulevé son vilain jupon à deux mains au-dessus de sa tête et Saint Michel avait dû subir le spectacle de ce petit cul sale nimbé d'un nuage de puces qui sautaient joyeusement. Or les anges et les archanges, étant dispensés de besoins honteux, n'ont point de ces organes que nous tenons cachés à juste titre et ils n'aiment pas être confrontés à cet aspect déprimant de la nature humaine, cela leur donne le mal de mer.

— Bon, bon ! D'accord, tu es vierge ! dit Saint Michel en détournant la tête avec un hoquet, mais je ne puis que te répéter que nous n'avons nul besoin de vierge en ce moment. Je regrette. Laisse ton adresse, on t'écrira...

A ce moment, une belle dame apparut sur la branche, juste à côté de l'archange Saint Michel. Et cette belle dame était Sainte Catherine, vous l'avez reconnue tout de suite.

Sainte Catherine n'avait pas l'air trop contente.

— Mon petit Michel, dit-elle, tout archange que vous êtes, permettez-moi de vous apprendre que vous vous conduisez envers les dames comme le dernier des cochons.

— Mais..., voulut dire Saint Michel.

— Il n'y a pas de « mais » ! Vous me donnez rendez-vous ici même, sur ce chêne, et je vous trouve en conversation galante avec cette petite chose noirâtre qui pue la bouse ! Qu'avez-vous à dire ?

— Conversation galante ! Ce qu'il faut pas entendre ! Vous savez pourtant bien, ma très chère amie, que nous autres purs esprits ne pouvons avoir commerce que spirituel, et donc uniquement avec d'autres purs esprits, telle que vous l'êtes devenue...

— Ça, c'est ce qu'il vous plaît de nous laisser croire, vous autres archanges. Il me semble cependant que ce n'est pas son pur esprit que ce

31

petit pruneau vous faisait admirer sous son jupon crasseux !

— Allons, allons, qu'allez-vous imaginer ! Elle voulait me prouver qu'elle est vierge, c'est tout.

— Et alors ? Elle l'est ?

— Tout à fait.

— Ça existe donc encore ? Les pères n'ont-ils donc plus rien entre les cuisses ?

— Si fait, Madame Sainte Catherine, dit Jeanne, mais le mien s'est pris les chausses dans le seau à traire, c'était dans l'étable, et il s'est rompu la virilité sur le bord du tabouret à traire, et depuis c'est plutôt pas très gai chez nous, vu que maman n'a plus son content de réjouissance et que papa porte ses affaires dans une musette qui lui pend entre les jambes, dame.

Madame Sainte Catherine réfléchissait, radoucie. Elle dit :

— Une virginité, il faut que ça serve à quelque chose, sans quoi c'est de la bonne marchandise perdue. Il doit bien y avoir de l'emploi pour une vierge. Voyons voir. Veux-tu te faire religieuse ?

— Nenni, dit Jeanne. Je veux chevaucher.

— Chevaucher ? Quelle idée ! Tu vas avoir mal au cul, mon pauvre petit, tu n'as pas idée. Surtout les premiers temps.

— J'endurerais avec joie tous les tourments pour le service du Seigneur.

— Voyons, dit l'archange Saint Michel, il

doit bien exister un emploi pour une pucelle aimant chevaucher... Qu'est-ce que tu sais faire ?

— Monsieur Saint Michel, je suis feignante, désordonnée, gourmande, allumeuse, prétentieuse et raciste. Raciste anti-Anglais, je précise.

— Des Anglais, j'en ai vu traîner pas mal, par ici, il me semble ?

— Le gentil royaume de doulce France gémit sous le joug anglois, récita Jeanne, et le gentil dauphin nostre syre et Roy erre, nu et traqué, loin de sa capitale.

— C'est bien triste, dit Sainte Catherine, mais nous avons juré de ne pas nous mêler de politique.

— Le Patron n'aime pas ça, dit Saint Michel.

— Et le temps passe, dit sainte Catherine.

— C'est vrai, ma très chère. Adieu, petite ! dit Saint Michel.

Saint Michel coucha Sainte Catherine sur ses bras et, dans un grand battement d'ailes, ils s'envolèrent vers leurs sphères habituelles.

Voilà Jeanne toute seule parmi ses moutons. Elle réfléchit. Pas longtemps. Soudain elle laisse là les moutons, prend ses sabots à la main pour marcher plus vite et s'en va trouver le sire de Vaucouleurs, qui était le seigneur de ce pays-là.

Elle lui dit :

— Messire, je suis Jehanne la Pucelle. J'ay

reçu mission de Monsieur Sainct Michel et de Madame Saincte Catherine de bouter hors l'Angloys et de mener sacrer à Rheims le Roy nostre syre.

Vous constaterez que, s'adressant à des gens huppés, la petite futée mettait un peu partout des « y » et des « s » qui ne servent à rien mais font distingué.

— Or ça, continua-t-elle, qu'on me baille destrier, espée et armure, j'iray trouver le Roy nostre syre, qui pour lors est en sa bonne ville de Chinon.

— Boute l'Anglois hors,...

Vous connaissez la suite, on l'enseigne à tous les petits enfants à l'école maternelle, on la leur répète à la communale et encore une fois en quatrième, chaque fois avec davantage de détails. Donc, Jeanne chassa l'Anglois, délivra Orléans, mena sacrer le Roy et eut beaucoup d'autres aventures, et finalement fut brûlée toute vivante par quelques Anglois qu'elle n'avait pas vus parce qu'ils s'étaient cachés sous les jupes de l'évêque Cauchon et avaient pris soin de ne pas laisser se mouiller les allumettes.

Vous savez maintenant que Jeanne n'était qu'une vile imposteuse. Jamais Saint Michel ni Sainte Catherine ne lui avaient confié de mission. Toute l'histoire de France à partir de Jeanne d'Arc est donc fondée sur une imposture. Ceci est très grave.

Ecoutez plutôt. Il y avait la France, et il y avait l'Angleterre. Le reste, ça compte pour du beurre.

La France était grande, riche, fertile, peuplée, pleine de beaux seigneurs, de dames très blanches et très tendres de cuisses, de troubadours qui pinçaient le luth et de grands lévriers qui mordaient les troubadours quand ils se fatiguaient de pincer.

L'Angleterre était une triste lande de chardons où paissaient d'étiques moutons. Ridiculement petite, pauvre à crever, presque déserte, avec de-ci de-là quelques manants de triste mine qui tiraient à l'arc toute la journée. Qui tiraient très bien à l'arc.

Les Français buvaient du vin, les Anglais ne buvaient rien, le thé n'était pas encore inventé.

Les Français avaient un roi. Un roi français. Les Anglais aussi avaient un roi. Un roi français aussi. Ah.

Les deux rois étaient cousins germains. C'étaient des Capétiens, retenez bien ce nom. Le roi d'Angleterre aurait dû en fait être aussi roi de France, c'était lui le véritable héritier, il était le plus Capétien des deux, mais son cousin avait imaginé au dernier moment une histoire de bonnes femmes qui ne pouvaient transmettre le droit à la couronne, enfin, vous voyez, très

très vaseux, mauvaise foi et pue-du-bec. Le roi d'Angleterre avait dit « Ah, c'est comme ça ? » et il était venu s'asseoir sur son légitime trône de France, soutenu par ses habiles archers. Ça s'appelle la guerre de Cent Ans.

Et donc l'Angleterre et la France formaient un seul royaume, et le roi de Frangleterre attendait que la paix soit bien établie pour installer sa capitale à Paris, qui était une ville splendide, alors que Londres n'était qu'un bidonville répugnant.

Sachez aussi que les Anglais parlaient français, tous les Anglais, parfaitement, seule langue officielle, sauf quelques indigènes en voie de disparition, repoussés dans les marécages, qui baragouinaient un horrible mélange de patois celtiques et germaniques, très très dégénéré.

...et allume le feu !

Bon. C'est maintenant que vous allez pleurer. S'il n'y avait pas eu l'imposture de Jeanne d'Arc, les Anglais auraient gagné la guerre. Le roi de France, au lieu de s'appeler Charles, se serait appelé Edouard. La belle affaire ! Un Capétien, notez. Un Capétien direct, plus direct que le Charles. Maintenant, voyons les avantages :

L'Angleterre aujourd'hui parlerait français. Et aussi les Etats-Unis, et aussi le Canada, et aussi l'Australie, l'Afrique du Sud et des tas d'autres pays un peu partout. Le français serait la langue internationale, ce qui serait bien commode pour nous. Le franc serait la monnaie la plus forte, on ne danserait pas le rock mais la bourrée, le calva remplacerait le scotch et le bourbon, les Peaux-Rouges auraient été exterminés par des Français, ce qui est tout de même plus culturel...

Au lieu de ça, le roi Edouard, vexé d'avoir été bouté hors par une merdeuse, interdit l'usage de la langue française dans ses Etats et, donnant l'exemple, se força à n'employer que ce baragouin horrible dont je vous ai parlé, qu'il baptisa « anglais » et qu'il parlait d'ailleurs avec un accent qui faisait rigoler tout le monde.

Vous voyez, cette petite conne, ce qu'elle nous a fait perdre ? Je ne m'en consolerai jamais.

VICTOR HUGO

LE lecteur exigeant sur le plan de la qualité
sera sans doute étonné, peut-être même
agacé, que j'aie classé Victor Hugo parmi les
grands imposteurs plutôt que parmi les grands
barbus. Il sourira de sa propre bêtise quand je
lui aurai révélé que Victor Hugo, malgré ce
qu'on croit universellement, n'a pas toujours
été barbu. C'est une vérité dure à entendre,
mais qu'y puis-je ? Quand il naquit — cette
date, contrairement à celle de la naissance de la
plupart des poètes, gens plutôt distraits, nous
est connue avec une précision extrême car c'est
lui-même qui nous l'annonce, en un vers,
comme toujours, sublime : « Ce siècle avait
deux ans » — quand il naquit, il était glabre, et
même chauve. Ce n'est que plus tard, lorsqu'il
se prit pour Charlemagne, qu'il se laissa pousser
la barbe. Ce siècle avait alors deux ans et dix
jours.

Le bon Dieu...

Le trait le plus remarquable parmi tous les traits les plus remarquables qui ornent le curriculum vitae de Victor Hugo est peut-être sa stupéfiante précocité. Il fut en effet précoce très tôt et le resta jusque dans l'extrême vieillesse. C'est d'ailleurs à cela que le menu peuple, qui s'y connaît en précocité, le reconnaissait lorsqu'il passait dans les rues en mangeant de la brioche, et alors l'on pouvait voir ces braves gens jaillir spontanément de leurs taudis et de leurs bouges pour courir derrière le poète et tenter de l'atteindre en projetant vers lui des choses salissantes.

A peine sorti, à la force du poignet, du ventre de sa chère maman, le petit Victor lança vers le ciel un vagissement de douze syllabes, suivi aussitôt d'un second qui rimait avec le premier. A l'intention de ceux qui n'auraient pas compris le message, il ajouta :

— Qu'on me donne deux rimes masculines et deux rimes féminines, je vous fais la « Légende des Siècles ».

Sa maman, qui s'appelait Sophie, ne manqua pas d'être étonnée, vous pensez bien. Quoique plutôt contente, l'un dans l'autre. Elle ne savait pas ce que c'était que la « Légende des Siècles » mais elle était tellement heureuse que ça ne soit pas une fille ! Elle avait parié une douzaine d'escargots avec son amant que ce serait un garçon, et mettez-vous à sa place. Elle ne mangeait pas souvent d'escargots, son mari étant plutôt pingre. Son amant aussi, d'ailleurs, et en plus il détestait l'ail, ce serait donc tout à fait amusant de lui faire payer cette belle douzaine d'escargots bien bourrés d'ail, en plus que c'est bon.

Son papa, qui était général, dit sobrement :

— Tu seras militaire.

L'amant ne dit rien. Il était parti fumer un cigare dans le jardin afin de ne pas voir horriblement distendus et salopés par ce merdeux des organes charmants qui ne devraient servir qu'à l'amour. Il se demandait d'ailleurs s'il allait revenir un jour. La seule pensée de cette boucherie répugnante était bien capable de l'avoir dégoûté à tout jamais d'aventurer làdedans des parties de son corps dont il n'avait toujours eu que des compliments et qu'il entretenait dans la plus exquise propreté. Seul le mari peut assister sans faiblir à l'accouchement de l'épouse, car lui depuis longtemps ne l'utilise plus à des fins récréatives, ou alors machinalement, pour la joie des yeux et le rafraîchissement de l'âme il y a la femme du voisin, j'ai l'air cynique comme ça mais c'est la vie, il vaut mieux la regarder une bonne fois en face, la salope, de toute façon ça n'a pas empêché le petit Victor de devenir le grand Hugo, et c'est bien là l'essentiel, non ?

Quittons ces mucus et ces sanguinolences par quoi commence toute biographie et jetons un coup d'œil sur les circonstances et environnements. Le père du jeune Victor, le général Hugo, nous pouvons nous en faire une représentation absolument exacte, grâce à son fils qui nous brosse d'une main qui ne tremble pas ce puissant portrait :

Mon père, ce héros au sourire si doux,
Suivi d'un seul housard qu'il aimait entre tous...

C'est saisissant de vérité. On le voit, là, devant nous. Il avait le regard doux, il aimait les housards, il en aimait un plus que les autres... Passons. La défense aura la parole tout à l'heure.

Et la mère ? La mère, eh bien, elle était femme de général, elle pondait des enfants de général et astiquait les médailles du général. Elle avait, nous l'avons vu, un amant avec qui elle pariait des douzaines d'escargots à l'ail sur le sexe de ses enfants à naître, si elle perdait elle devait lui payer une belle pipe bavaroise, une en porcelaine avec des pompons, mais, mutine, elle battait des cils, lui donnait un coup d'éventail sur les doigts et ne s'acquittait pas. Ainsi, mutines, nous dévorent-elles jusqu'au trognon. C'était un grand amour romantique, ça ne s'appelait pas encore comme ça parce qu'il fallait d'abord que Victor Hugo invente le romantisme, mais il s'y rencontrait beaucoup de douce mélancolie, de terribles secrets, de clair de lune, de pieds mouillés par la rosée, de souterrains en ruine, de chouettes ululantes et de sinistres pressentiments de mort violente concernant le pâle jeune homme. A la lumière de ceci on comprend mieux comment le poète, pourtant nourri aux sources des lettres classiques dans des établissements d'enseignement tout à fait convenables, a pu glisser vers les sanglots, gémissements, malédictions, ricanements fous et autres symptômes psychopathologiques qui caractérisent son œuvre et devaient marquer profondément tout son siècle.

... c'est un type...

Si Napoléon eût vaincu, Victor fût devenu général. (Vous ai-je dit que cela se passait sous Napoléon?) Napoléon n'ayant point vaincu, le métier de général n'offrait plus les mêmes débouchés. Les parents du jeune homme (eh, oui, il a grandi, ce siècle a maintenant quinze ans, faites la soustraction), un peu déconcertés, décidèrent de lui acheter une épicerie-mercerie ou une boutique de marchand de couleurs. Mais il avait décidé, lui, de monter une petite affaire artisanale de poésie. Il leur déchira donc le cœur et se mit à son compte. Nous qui savons combien éclatante devait être sa réussite ne pouvons nous empêcher de penser avec un poignant regret à ce qu'une telle intelligence aurait donné s'il s'était fait général !

Quand on démarre dans la vie comme enfant prodige, on ne sait généralement plus quoi faire une fois adulte. Certains, comme le petit Mozart, sentant tout le ridicule qu'il y aurait à être un vieillard prodige, s'en tirent par la tangente et descendent en marche. Mais n'est pas tuberculeux qui veut. Victor Hugo avait une santé d'éléphant de mer, il lui fallut donc assumer son destin jusqu'au bout, à la cadence d'un vers génial de douze pieds toutes les trente secondes (ou deux vers de six pieds, ou un vers de huit pieds et un de quatre), douze heures par jour (onze le dimanche à cause de la messe), trois cent soixante-cinq jours par an, soixante-dix ans jusqu'aux asticots. Soit en tout l'équivalent de trente-six millions huit cent dix-sept mille neuf cent vingt vers de douze pieds (36.817.920), compte tenu des années bissextiles. Record absolu. Seul Picasso a produit davantage, seulement lui c'était de la peinture à l'huile, qui tache et coule dans la manche mais fatigue nettement moins les boyaux de la tête.

On peut dire que, du jour où il écrivit son premier poème de professionnel (C'était une ode au roi Louis XVIII, assez bassement lèche-cul mais Victor avait tellement envie d'une paire de bottes neuves, et d'autre part le roi Louis XVIII aimait bien qu'on lui lèche le cul avec des odes, même des sonnets à la rigueur, et il fut tellement content de son ode qu'il s'en servit jusqu'à la fin à son entière satisfaction, et elle n'était presque pas usée, elle pouvait encore faire du profit. Le roi fit une pension au jeune poète, ce qui montre bien que la qualité c'est encore ce qui se fait de mieux.) on peut dire, dis-je, que, de ce jour-là, Victor ne leva plus le nez de sa table à écrire, sauf une fois pour aller avec des copains casser la gueule à des vieux machins qui n'aimaient pas ses vers (ça s'appelle la bataille d'Hernani) et une autre fois pour proposer la botte à Juliette Drouet, qui accepta et se coucha aussitôt sur le dos, cuisses ouvertes, et ne bougea plus de cette position jusqu'à son dernier jour, se tenant ainsi religieusement prête à recevoir à tout moment le coït sacré du poète, lequel passait l'honorer à l'improviste plusieurs fois par jour sans toutefois interrompre son œuvre culturelle car il possédait un écritoire portatif très pratique.

... qui se prend...

La passion folle qui unit Victor et Juliette fut le type même de l'amour romantique dans tout ce qu'il a d'échevelé et de sublime. Autour d'eux, l'univers disparaissait, et ses laides contingences. Juliette habitait un charmant galetas sous les toits, à deux pas du splendide appartement des Hugo. Victor seul en avait la clef, et il ne manquait jamais de fermer la porte à double tour, de l'extérieur, en s'en allant. Juliette l'attendait dans la position ci-dessus décrite, elle frémissait d'ardent bonheur quand elle entendait l'escalier gémir sous les pas solidement cloutés du bien-aimé. La porte s'ouvre à la volée, Victor est là, dans un élan irrésistible il ôte ses lunettes, en essuie soigneusement les verres à l'aide d'une peau de chamois avant de les plier dans leur étui de tapisserie (offert par Madame Hugo pour son anniversaire et brodé à ses initiales par Juliette) et d'introduire l'étui dans la poche supérieure de son gilet à fleurs, puis, s'aidant d'un escabeau de bois blanc, il se hisse sur un tabouret de même matière et il plonge droit dans l'adorable chair offerte en poussant un barrissement sonore. Telle est la violence de son amour. Ensuite il ronfle un petit coup, et puis il recommence, mais cette fois en prenant le temps d'ouvrir sa braguette. Les jours de grand paroxysme, par exemple aux marées d'équinoxe, il peut aller jusqu'à déboutonner son caleçon de flanelle et même jusqu'à démailloter son organe enfoui dans les multiples replis de son pan de chemise. Ces jours-là, Juliette, extasiée, s'écrie : « Ah, mon ami, je la sens, votre grosse queue ! » Phrase qui ne s'invente pas, phrase admirable, phrase ô combien bouleversante dans sa fervente simplicité ! C'est ce cri

d'abandon total qui devait — on l'ignore généralement — inspirer à Victor Hugo l'inoubliable
poème qui commence par ce vers :

Ça y est, tu me l'as mis, je le sens bien...

Victor ne manquait jamais d'apporter à
Juliette un de ces petits cadeaux charmants qui
sont les grains de raisins secs dans le poudding
de l'amour : restes de la soupe familiale, os de
lapin avec encore du bon à manger dans les
creux, petits-beurre un peu mous, fleurs presque pas fanées... Juliette disait « Fallait pas,
vous avez fait des folies ! » mais sur ses joues
ruisselaient les larmes du bonheur. Il lui apportait aussi ses brouillons à recopier, car il avait
une écriture exécrable que, seule, Juliette
déchiffrait. Elle recopiait donc sans relâche, y
passait ses jours et ses nuits, Victor créant deux
fois plus vite qu'elle n'écrivait. Sa position sur le
dos rendait la tâche plus ardue encore : elle
devait écrire les mains en l'air, et naturellement, vu les lois de la physique qui étaient déjà
sensiblement les mêmes à cette époque que de
nos jours mais avec cette aggravation que l'on
utilisait une plume d'oie trempée dans l'encre
liquide, elle recevait une considérable quantité
de cette encre sur le visage et sur le buste, ce qui
la faisait négresse au-dessus de la ceinture et
vraie blonde au-dessous, chose particulièrement
stimulante pour la fantasmatique amoureuse, je
ne sais pas si vous avez déjà eu l'occasion.

... pour Victor...

Si nous parlions un peu de l'œuvre ? C'est ça, parlons un peu de l'œuvre. Mais vite fait, alors.

Si Victor Hugo est aujourd'hui apprécié dans le monde entier par les amateurs de bonnes choses, c'est presque exclusivement en tant qu'auteur du film « Les Misérables ». Paradoxe amusant lorsqu'on se rappelle qu'Hugo était d'abord un poète ! Or ce scénario est entièrement écrit en prose, vous pouvez vérifier. La renommée, c'est comme ça, on ne sait jamais d'avance. On se donne un mal de chien dans sa spécialité, et total la postérité ne retiendra que votre bec-de-lièvre. C'est ainsi que Proust est connu pour sa madeleine, Wolinski pour ses bretelles et Phoque parce qu'il était pédé.

« Les Misérables » sont presque aussi célèbres que « Tarzan », et ce n'est que justice, car c'est presque aussi beau. Sait-on que ce livre admirable fit scandale lors de sa parution ? Le titre surtout choquait les honnêtes gens. Qu'auraient-ils dit alors si l'auteur avait suivi sa première idée, qui était d'intituler son ouvrage « Les Dégueulasses » ? Nous qui sommes évolués avons peine à imaginer une telle pudibonderie et, disons le mot, une telle hypocrisie sociale.

Un autre de ses grands succès fut « Les

Châtiments », monument de calme et sereine fureur destructrice que Victor Hugo écrivit pendant son exil à Jersey, les pieds dans une bassine d'eau tiède avec de la farine de moutarde dedans afin de faire redescendre le sang que son juste courroux lui portait à la tête. Cet immortel exemple de rage impuissante était destiné à dénoncer l'infâme Napoléon III, tyran du peuple et exileur de poètes. La portée en fut immense. Sans « Les Châtiments », personne aujourd'hui ne saurait qu'il exista un Napoléon III.

Citons encore, pêle-mêle, « Notre-Dame de Paris » et toute la célèbre série : « Le Fils de Notre-Dame de Paris », « Notre-Dame de Paris contre la Tour Eiffel », etc. « Les Travailleurs de la Mer », dont un film va être tiré incessamment, légèrement modernisé en « Les Travailleurs de la Mère Denis », grande production pornographique avec spots publicitaires, « L'Homme qui rit », « La Vache idem », « l'Art d'être grand-père sans se salir les doigts grâce aux couches-culottes Absorba », « Marinella », etc. Rien que des chefs-d'œuvre. Sa dévorante activité était telle qu'il écrivit, sous divers pseudonymes, « Les Trois Mousquetaires », « Robinson Crusoé », « Fantômas », « Le Père Dupanloup monte en ballon » et la Bible (Ancien et Nouveau Testament) tout en trouvant le temps de converser avec Platon, Shakespeare, Jésus-Christ et la petite bonne de

la maison d'en face par l'intermédiaire d'une
table tournante.

... Hugo.

Sa prodigieuse vitalité n'eût su se satisfaire de
ses épanchements pluri-quotidiens avec Juliette
Drouet. Une intense activité sexuelle était
nécessaire à l'épanouissement de son génie
créateur. Peu enclin aux amours tarifées, et
d'autre part Madame Victor Hugo, née Adèle
Foucher, ne lui laissant comme argent de poche
que strictement de quoi acheter son tabac à
priser, il se rabattait sur les femmes de chambre, cuisinières, bonnes d'enfants, lingères et
torcheuses de gâteaux des maisons aristocrati-
ques dont son génie lui ouvrait toutes grandes
les portes de la cuisine, et là, en échange d'une
ode, il assouvissait ses puissants instincts. Il
composait l'ode à voix haute, tout en copulant,
ce qui donne à ses vers ce rythme inégalable
qu'on chercherait en vain dans ceux de Lamar-
tine.

Victor Hugo se masturbait-il ? En tout cas
jamais en présence d'une dame. Je pense que
nous pouvons clore la présente causerie sur
cette note chevaleresque et bien française.

— S'il vous plaît ?
— Oui ?

50

— En quoi Victor Hugo était-il un imposteur ?

— Oh, vous aussi ça vous tourmente, hein ?
Eh bien, relisons encore une fois tout ceci, nous
trouverons bien une raison, ici ou là.

GALILÉE

Nous devons rendre cette justice aux imposteurs : ils ne font jamais ça pour nous
faire plaisir. L'imposteur, la plupart du temps,
est, n'ayons pas peur des mots, un égoïste. En
plus d'être un menteur, un crâneur et un fripon,
je veux dire.

Or — chose à première vue paradoxale et qui
ne manque jamais de susciter l'étonnement
incrédule du philosophe attentif aux évolutions
de l'humaine nature, surtout s'il débute dans le
métier — or, dis-je, les victimes de l'imposteur,
c'est-à-dire vous et moi, ne tiennent généralement pas rigueur au perfide de ses fourberies.
Ne serait-ce que parce qu'elles ne sauront
jamais que ce ne furent que fourberies (ou alors
c'est que l'imposture n'a pas fonctionné exactement comme il aurait fallu, et que donc l'imposteur s'est trompé quelque part, on a vu le bout
de son vilain nez, et alors, là, vous savez ce que
c'est, le courroux populaire, si prompt à
s'enflammer pour de justes causes, a dit
d'homme à homme à l'imposteur ce qu'il pen-
sait de ces manigances, et puis a soigneusement

ramassé les morceaux de l'imposteur et les a jetés aux cochons. Ferme la parenthèse, veux-tu ?)

Quand j'emploie une expression comme « ne serait-ce que parce que... » (remontez à rebrousse-poil la dernière phrase du paragraphe précédent, s'il vous plaît, juste avant la première parenthèse, c'est cela), quand, donc, je me risque à employer une expression aussi offensante quant au style que cacophonique à l'ouïe, ça veut dire que je préviens gentiment le lecteur que l'argument que je vais lui servir immédiatement après ces mots n'est pas l'argument essentiel de la démonstration, celui qui motive notre mutuelle présence ici à tous les deux en ce moment même et que je me réserve d'utiliser un peu plus tard, comme la foudre, afin de lui prouver de façon éblouissante à quel point ce que j'avance tient debout et à quel point je suis intelligent. Quand je commence ma phrase par « ne serait-ce que parce que... » (Bon Dieu, que c'est laid !), je vous dis en fait d'avance que si mon irréfutable et si joli argument à moi ne vous convainc pas (mauvais joueur !), je ne me fais quand même pas cailler le sang pour si peu, j'en ai un autre dans ma musette, tout aussi définitif, mais je ne m'en sers pas, je vous le fais juste voir en passant, un peu comme le procureur qui a parié de faire condamner à mort l'assassin de la vieille dame pour stationnement illicite, j'espère que vous êtes toujours là.

Bon. On peut y aller, j'ai mon truc bien en main.

Et pourtant,...

Alors, voilà.

Les imposteurs, on ne leur en veut pas, au fond, et vous savez pourquoi? Parce qu'ils donnent du goût à la vie. Ah. Et même, des fois, ils nous font rire. Quoique les gens aiment mieux les imposteurs qui les font croire au Père Noël. Ou à comment gagner au Loto. Ou à comment maigrir en reprenant du homard. Eh, oui. Ils croient tous que ce qu'ils aspirent à, c'est le bonheur, le calme, la paix, rester à la maison en regardant la télé pendant que le petit joue sur le tapis, mais au fond... Oui, bon, j'ai dû vous dire ça, déjà, ici ou là.

On leur pardonne tout, aux imposteurs, et on leur dresse des statues, et on les met dans le dictionnaire. On les aime bien, quoi. C'est nos imposteurs à nous. Mais il ne faut pas qu'ils deviennent des emmerdeurs.

Comme, par exemple, Galilée.

Celui-là, pardon!

Il avait commencé tout jeune. Ça se passait à Pise, dans une église. Là, vous m'interrompez:

« Pise, dites-vous ? Pise ? Ça me rappelle quelque chose, Pise... Attendez... Ça y est : une tour ! C'est ça ? » Vous brûlez. « La tour Eiffel ! » Ah, non. Dommage. Vous n'êtes pas tombé loin. Je regrette, vous n'emportez pas le superbe Mirage 2000 Grand Tourisme avec tous les gadgets en option y compris les deux bombes thermonucléaires de dix millions de kilotonnes chacune, mais vous ne partirez quand même pas les mains vides, voici un superbe décapsuleur de canettes aux armes de Télé-Canal-Encore-Plus-Que-Plus, merci d'être venu, au revoir. La bonne réponse était : « La tour de Pise. » Et justement. Si à Pise il y a la tour de Pise, c'est à cause de ce garnement de Galilée. Voyons un peu.

C'était à Pise, donc, dans l'église de Pise. D'abord et avant tout : qu'est-ce qu'il faisait dans une église, Galilée ? Il était juif, Galilée, tout le monde le savait, il faisait semblant d'être normal mais c'est ce qu'ils disent tous, il avait beau s'appeler Galilée pour donner le change, « Galilée, précisait-il, attention, pas Judée ! En Galilée, c'est des Galiléens qu'il y a, pas des Juifs. Les Juifs, c'est en Judée. » Effectivement, ça pouvait égarer, un petit moment. Il aurait quand même pu se donner un peu de mal, tant qu'à faire de prendre un nom de pays, il aurait pu s'appeler, par exemple, Normandie, ou Bas-Rouergue, ou Pôle Nord... Mais non. Le gros paresseux avait ramassé le nom du pays juste à côté. Ces Juifs, ils nous prennent vraiment pour des cons... Passons. Alors, qu'est-ce que ce Juif pouvait bien fabriquer dans une église, dites-moi ? Dans une église, un chrétien, très bien. C'est fait pour ça. Juste à sa place. Et sachant ce qu'il vient y faire. Un chrétien, dans une église, ça fait de l'œil aux dames, ça pille le tronc des pauvres, ça revend de la drogue dans les coins noirs, ça fait son jogging matinal, ça attend que l'averse passe (d'où la célèbre apostrophe de Saint Vincent de Paul à Louis XIV, qui s'était mis à l'abri pour un instant avec Madame de Maintenon dans le confessionnal particulier de ce prêtre à Notre-Dame de Paris : « Faudrait pas prendre mon église pour un parapluie ! »), ça fait sa toilette dans les bénitiers (n'oublions pas que ces époques viriles ignoraient l'eau courante dans les étages), ou ses besoins dans les tuyaux de l'orgue... Le calme majestueux du saint lieu élève l'âme vers des aspirations sublimes : sodomiser un ange, à la rigueur un archevêque, à l'extrême rigueur une bonne sœur, une avec une de ces cornettes aux grandes ailes blanches qui palpitent bien en rythme (la position induite par le prie-Dieu incite aux fantasmes sodomisants, vous n'êtes pas sans l'avoir remarqué). Au lieu de cela, ce Galilée, lui, il regardait. Où ? En l'air. Quoi ? Une lampe. Qui se quoi ? Qui se balançait. Une lampe qui se balançait, en l'air, au bout de sa chaîne, voilà ce qu'il regardait, Galilée. Je vous demande un peu ! Peut-être que ça se fait dans les synagogues, peut-être que le bon dieu des Juifs est une lampe qui se balance en l'air, peut-être, pourquoi pas, chacun est libre, mais une place pour chaque chose et chaque chose à sa place, ou alors c'est le bordel.

Une occupation aussi blasphématoire ne pouvait pas passer inaperçue. Elle n'y passa point.

... et pourtant, ...

Un archevêque qui traînait par là — ou peut-être bien un suisse, c'était plein de suisses aussi, les églises, dans ce temps-là —, enfin un de ces types dorés partout avec un gros chapeau doré et un long bâton doré, lui fit remarquer avec quelque sévérité ce que sa conduite avait de scandaleux.

— Elle se balance, répondit Galilée.

— Pardon ? s'étonna l'homme en or.

— Un coup à droite, un coup à gauche. Un coup à droite, un coup à gauche. Tic, tac. Tic, tac. Elle se balance.

En disant cela, Galilée balançait la tête, un coup à droite, un coup à gauche, comme la lampe, là-haut, juste en même temps.

— Tu te fous de moi, youpin ? demanda l'archevêque.

— Les oscillations de cette lampe restent absolument semblables de l'une à l'autre. Elle remonte chaque fois exactement à la hauteur d'où elle était partie, et à la même vitesse, donc dans le même intervalle de temps. Cette lampe pourrait donc tout à fait bien servir à mesurer le temps. J'appelle « seconde » le temps qu'il lui faut pour aller de droite à gauche ou de gauche à droite. Soixante secondes font une minute. Soixante minutes font une heure. Vingt-quatre heures font une journée...

— Pourquoi d'abord soixante, et puis soudain vingt-quatre ?

— Parce que je suis un emmerdeur. C'est ma nature.

— Ah, voilà.

— J'appelle ceci « pendule », continua Galilée. Cela sert à mesurer le temps.

— Tu prétends faire du lieu saint un cadran solaire ? Pourquoi pas une poêle à frire, aussi ? Sacrilège ! cria l'archevêque. A moi, l'Inquisition !

L'Inquisition accourut et mit Galilée dans une geôle humide. Le procès fut rondement mené. L'Inquisition se fit expliquer le cas, n'y comprit rien et condamna Galilée à être brûlé, à tout hasard, puisque c'est ce qu'elle aurait fait si elle avait compris.

Au moment où, sur la Grand'Place, le bourreau approchait l'allumette des fagots à la grande joie des petits enfants, soudain un cavalier masqué fendit la foule en brandissant la grâce du condamné. Le peuple fut bien déçu, mais on brûla à la place une jeune femme fort jolie ainsi que le petit enfant que lui avait fait un diable incube qui la visitait la nuit et pissait dans le lait des voisins en s'en allant au petit matin, l'urine du diable sentait le soufre, c'est ainsi que tout fut découvert.

Ce cavalier masqué n'était autre que le curé de l'église de Pise. (Finalement, ce n'était pas un archevêque, ni un suisse, rien qu'un simple curé, un peu recherché dans sa mise, peut-être.) Réflexion faite... Mais donnons-lui la parole :

— Réflexion faite, youpin, il y a quelque chose, dans ton histoire de... Comment dis-tu, déjà ?

— De « pendule », répondit Galilée.

— Oui. Ces mots juifs écorchent la bouche d'un chrétien. Mais je verrais ça en plus conséquent, en plus grandiose... Quelque chose qui se verrait de loin, afin que chacun, de tous les points de l'horizon, puisse savoir l'heure qu'il est et apprécie combien son curé utilise à bon escient les deniers de la dîme.

— J'ai ce qu'il vous faut, Monseigneur, dit Galilée.

On ne dit pas « Monseigneur » à un simple curé, mais un Juif avait intérêt à dire « Monseigneur » même à un châtreux de chats.

... et pourtant, ...

Galilée se mit au travail. Un mois après, le curé émerveillé contemplait son église tout entière montée en pendule, dont le clocher faisait le balancier. Ce clocher était une tour superbe. Elle se balançait donc, un coup à droite, un coup à gauche, tic, tac, tout le monde fut bien content, sauf les paresseux qui avaient coutume de dormir à son ombre, mais que voulez-vous...

Le curé estima qu'avoir sauvé Galilée du bûcher constituait un généreux salaire, il ne lui donna donc rien de plus. C'était mesquin. Galilée dit adieu à Pise pour toujours. Simplement, il emporta avec lui la clef qui servait à remonter la pendule et il la jeta au loin dans la mer. Si bien que, certain jour, la tour cessa de se balancer et se figea en bout de course, toute de travers. Ça lui donne un air bête, mais bête ! On n'a jamais pu la remettre en marche. Elle est toujours là, toujours aussi bête. Vous pouvez aller vérifier, vous verrez bien si je dis des bêtises.

Nous retrouvons un peu plus tard Galilée à Padoue, où il s'arrêta le temps d'inventer le thermomètre.

Avant Galilée, les gens ne savaient pas s'il faisait chaud ou s'il faisait froid, ils attrapaient des angines ou des coups de soleil sans savoir pourquoi, mangeaient la soupe glacée et les sorbets bouillants, vous voyez quelle triste vie, mais ils se disaient bon, c'est comme ça, quoi, c'est la nature, et ils se croyaient heureux.

Galilée leur mit le nez dans leur erreur. Il avait fait sceller un thermomètre sur la façade de sa maison, un très grand, les gens venaient regarder le thermomètre, aussitôt ils savaient s'ils étaient gelés ou bien s'ils étaient en nage, ça dépendait de Galilée qui, de l'autre côté du mur, faisait astucieusement monter ou descendre le petit machin le long des numéros. Les gens se disaient que s'ils avaient possédé un thermomètre portatif personnel ça leur aurait évité le détour, et alors ils entraient en acheter un, très cher, au peu scrupuleux inventeur. Ils repartaient, leur thermomètre sur l'épaule, ces thermomètres portatifs primitifs étaient assez encombrants, plus tard la miniaturisation est venue mais à l'époque ils avaient à peu près les dimensions d'une horloge normande, et comme les montres aussi avaient ces dimensions-là les gens qui se voulaient à la pointe du progrès portaient leur thermomètre sur l'épaule gauche et leur montre sur l'épaule droite, très très chic, vous voyez.

... et pourtant, ...

Voici maintenant Galilée à Venise. Il se déplaçait beaucoup, oui. C'est parce qu'il finissait toujours par avoir l'Inquisition sur le dos, je ne sais pas comment il s'y prenait. A Venise, qu'a-t-il inventé ? Eh bien, la lunette. Au singulier. La lunette astronomique. Vous voyez, de plus en plus fort.

La lunette astronomique, c'est comme je vais vous expliquer. Vous mettez l'œil à un bout, par l'autre bout ça prend une étoile, celle que vous voulez, et ça vous la rapproche tout près tout près, et alors on voit que cette étoile-là, eh bien, c'est une planète. Ça, alors ! Et on voit encore des choses, de drôles de choses, moi je vous le dis. On voit par exemple que cette planète tourne autour de... Autour de quoi ? De la Terre, pardi ! Perdu ! Autour du Soleil. Ah, ah. Et les autres planètes aussi. Et même — là, cramponnez-vous — que la Terre aussi tourne autour du Soleil ! Ouïouïouille ! Ça, ça sent mauvais, ça. Retirons-nous sur la pointe des pieds, l'Inquisition ne va pas tarder à se pointer.

Et en effet. L'Inquisition voulait que les planètes tournent autour de la Terre, et le Soleil aussi, et toutes les étoiles du ciel aussi, et le ciel avec, et jusque-là ça avait toujours très bien marché, personne ne s'était plaint d'avoir mal au cœur, et voilà maintenant ce sémite qui foutait tout en l'air, un système si bien au point, il vous faisait tourner ça dans l'autre sens, on allait se casser la gueule, hé là, il y a des limites à ce que peut se permettre la science, de la lunette de Galilée aux manipulations génétiques le pas est vite franchi, pas de ça, Ninette, halte-là !

Les curés étaient les plus consternés. Le Sauveur, du haut de sa croix, leur criait : « Vous vous figurez peut-être que si j'avais su que la Terre tourne autour du Soleil, la conne, je serais descendu dessus et tout ce qui s'ensuit ? La Terre est le centre du monde, ou alors je ne marche plus ! » Et chaque fois qu'un prêtre passait près d'un crucifix il recevait un coup de pied, ou un coup de poutre de bras de croix, en plein sur la tonsure c'est ça qui fait mal, tiens !

Ajoutez à cela que l'Inquisition voyait les gens du monde se ruer chez Galilée pour acheter à prix d'or des lunettes astronomiques, enrichissant crapuleusement le perturbateur et s'infectant de cette doctrine impie qui s'attrapait par l'œil. (L'Inquisition s'inquiétait à tort : les gens du monde achetaient la lunette pour regarder de l'autre côté de la rue la marquise procéder à sa toilette intime.)

Bref, voilà une fois de plus Galilée au cachot, et puis devant le tribunal.

Ce procès est resté célèbre à juste titre. Nous nous bornerons à en résumer l'essentiel.

... et pourtant, ...

Le pape dit :

— Un cas aussi épouvantable ne peut être tranché que par le Jugement de Dieu.

Tout fut bientôt mis en place pour l'épreuve suprême.

Le pape dit :

— A ma droite, le Grand Inquisiteur, trente ans, cent vingt-cinq kilos, champion de Dieu.

La foule cria :

— C'est lui !

Le pape dit :

— A ma gauche, Galileo Galilei, Juif, quatre-vingt-douze ans, cinquante-deux kilos, champion du diable.

La foule cria :

— C'est l'autre !

Le pape dit :

— Je vous rappelle que tous les coups interdits sont permis à Dieu, et que tous les coups permis sont interdits au diable. Allez-y, mes enfants, et que le meilleur gagne.

Dans un silence de mort, le Grand Inquisiteur saisit solennellement dans sa main droite la barbe de Galilée. Alors Galilée fit de même avec la barbe du Grand Inquisiteur. Sur un signe du pape, l'orgue donna le « la ». Le Grand Inquisiteur et Galilée répétèrent la note, et puis, bien ensemble, ils psalmodièrent en chœur la terrible formule rituelle du Jugement de Dieu :

Je te tiens, tu me tiens par la barbichette
Le premier qui dira « Elle tourne »
[aura une tapette !

Cela dura des jours, cela dura des nuits. Sans jamais manger, sans jamais dormir, sans ciller, sans cligner, sans cracher, sans morver. Deux volontés surhumaines. Deux Titans. On les eût dits de pierre si les ruisseaux périodiques de leurs urines ne se fussent mêlés à leurs pieds en un lac fraternel, seul reflet humain dans cet univers d'abstraction pure.

Quand le temps sacramentel fut écoulé, le pape se leva et dit, avec cet accent italien qu'avaient les papes dans ce temps-là :

— Ecco. Dio a rendou il zouzement. Personne il a dit qu'i tourne. Ça vot dire qu'i tourne pas. Merci, messio Galileo. Vous sériez pas oun pétite po lâce, no ? Zé vous verrai pas broûler auzourd'houi. C'est dommaze. Enfin...

Le pape s'en alla, et tous ses cardinaux.

Alors le Grand Inquisiteur lâcha la barbe de Galilée, et Galilée ouvrit la bouche toute grande, et il hurla :

66

— Elle tourne ! Elle tourne ! Je veux mourir !
Je veux le bûcher ! Elle tourne !

Le Grand Inquisiteur ricana :

— Trop tard ! Dieu a jugé.

— Salaud ! cria Galilée. Vous m'avez pris les
moustaches avec la barbe, si bien que je ne
pouvais pas ouvrir la bouche. Tricheur ! C'est
pas de jeu !

Mais il criait dans le vide, tout le monde était
parti.

Galilée à son tour s'en alla, versant des
larmes amères en répétant :

— Pourtant, elle tourne...

... elle tou-ou-ourne !

Vous voyez, c'était vraiment un mauvais
sujet. Quelle obstination dans le vice ! Et quand
on pense que, s'il n'avait pas prononcé cette
petite phrase — plutôt assez bébête, moi je
trouve —, personne ne se souviendrait de
Galilée, c'est là qu'on se demande si la renommée est vraiment à la hauteur de ses fonctions.

LA BELLE
HÉLÈNE

S'IL fut un être au monde à qui plus qu'à tout autre s'applique l'infâme vocable d'imposteur, c'est bien Hélène, la belle Hélène, celle-là même, oui, sauf que là c'est « imposteuse » qu'il faut dire, car Hélène appartenait au sexe féminin, et même avec abondance, et même avec excès.

Une parenthèse ici s'ouvre d'elle-même comme un gouffre devant nos pas et fascine nos yeux écarquillés. « Imposteur » a-t-il un féminin ? Si oui, quel ? J'ai écrit « imposteuse » comme ça, à l'étourdie, mais, à peine tracé le « e » terminal, mon sens très sûr de l'esthétique de notre belle langue nationale se hérissait et s'insurgeait quelque part mal quelque part dans le repli humide et mal éclairé où se tapit ce genre d'organe. A vous aussi, n'est-ce pas, « imposteuse » est resté en travers ? Dirons-nous alors « impostatrice » ? C'est bien lourd à porter, par ces chaleurs... « Imposteur femelle » ? Surtout pas : les dames du M.L.F. viendraient la nuit nous les couper... Oui, bon. La question reste pendante. Ecrivez-moi si vous avez une idée, je voudrais bien sortir de cette douloureuse incertitude.

Mourir pour le cul d'Hélène !...

Hélène eut pour mère Léda et pour père Zeus, qui se faisait appeler Jupiter quand ses affaires l'appelaient à voyager en Italie. Léda était mère de famille et femme au foyer. Son mari légitime était roi de quelque chose. Tous les Grecs, en ce temps-là, étaient rois de quelque chose. Car Léda était grecque, vous l'ai-je dit ? Zeus aussi. De métier, il était dieu. Roi des dieux, donc, puisque grec.

Du haut de l'Olympe, Zeus remarqua Léda en train de passer la serpillière sur le carrelage. Le désir aussitôt empourpra sa face auguste. Il dit à Junon et aux autres « Je descends faire un tour », et il se mit à rôder autour du palais où la chaste Léda épluchait des topinambours (les pommes de terre n'étaient pas encore inventées) pour faire des frites. Léda était tellement chaste que ça sentait le chaste autour d'elle dans la campagne à dix lieues à la ronde. Zeus préférait les femmes chastes. Ça le faisait bander sec.

Zeus eut une idée diabolique. Il se changea en cygne. Les femmes chastes se méfient des hommes, se méfient des dieux, mais pas des cygnes. Comme, en plus d'être chastes, elles sont généralement bêtes, ces femmes ne réfléchissent pas qu'un dieu peut très bien se changer en cygne. Ou en taureau, ou en carotte, ou en banane... A tous les coups, elles se font avoir. Zeus, qui était coquet, choisit de se changer en cygne, car c'est un bel oiseau, qui fait riche et distingué, et qui ne se mange pas, je me demande d'ailleurs bien pourquoi.

Léda vit soudain ce cygne qui se dandinait et ondulait du col dans sa chambre à coucher. Cela ne la surprit même pas — Voyez comme elle était bête ! Ç'aurait été vraiment dommage de ne pas en profiter... — Elle dit « Comme il est beau ! » — Ce n'était même pas vrai : un cygne, sur l'eau, c'est beau, si on veut, mais à pied sur le carrelage de mosaïque, c'est encore plus pénible à supporter qu'un canard. Excessivement ridicule. On a beau se retenir, on pouffe.

Léda ne pouffa pas. Ah, femme, femme ! Elle sentit en elle s'éveiller un étrange émoi. Ce cygne avait des yeux ! Mon Dieu, quels yeux !... « Mon Dieu », en grec, se disait « Oï Zeus ! ». Elle s'écria donc « Oï Zeus, quels yeux ! » Zeus répondit « Présent ! » Zeus, c'est-à-dire le cygne, j'espère que vous avez bien tout suivi. Et le cygne envoya sa petite tête de cygne aux beaux yeux sous la robe de la chaste Léda, et la fit remonter le long du chaste ventre blanc de Léda pour émerger, plouf, au bout de son long

71

cou duveteux, juste entre les seins bien serrés de Léda afin de la faire rire. Elle n'y manqua pas, c'était une reine qui savait profiter des bons moments de la vie.

Or, si vous ne le saviez pas je vous l'apprends, le rire est l'effet d'un spasme des muscles zygomatiques qui entraîne, par voie réflexe, le relâchement des muscles resserreurs des cuisses. Une reine qui rit écarte donc en même temps les cuisses, vous pouvez le vérifier quotidiennement sur la reine d'Angleterre ou sur celle des Belges, que l'on conserve à grands frais en état de marche spécialement pour cet usage pédagogique bien que l'espèce des reines soit partout en voie de disparition. Léda, donc, rit d'en haut et s'ouvrit d'en bas. Ce dont profita aussitôt le fourbe Zeus pour, plaf, introduire son organe adéquat et turgescent dans l'intimité de la pauvrette... O déception ! O amertume ! Zeus, le si rusé Zeus, avait oublié que les cygnes, comme d'ailleurs tous les oiseaux, ont pour orifice reproducteur un cloaque — fi, le vilain mot ! —, c'est-à-dire une espèce de machin vague, plutôt creux, que les mâles appliquent sur le bazar correspondant des femelles comme une ventouse sur une ventouse, ou comme une bouche sur une bouche, choisissez la comparaison qui vous paraîtra la plus poétique. Et notre grand dadais de cygne, tout Zeus qu'il fût, se trouva bien marri quand il n'eut que son mollusque à appliquer sur ce mollusque (autre comparaison, peut-être la plus poétique de toutes).

Mais Zeus sauva la face et, s'il fut déçu quant à la qualité du coït escompté, nul ne s'en aperçut, en tout cas pas Léda, qui conçut et pondit trois œufs très beaux, qu'elle couva, faute de mieux, dans le panier du chat pendant le temps réglementaire, et puis les œufs éclosèrent (éclosirent ?), et il en sortit, dans l'ordre : du premier œuf, deux jumeaux tête-bêche qu'on appela Castor et Castor car ils se ressemblaient tellement, et puis Pollux et Pollux pour pouvoir les distinguer l'un de l'autre mais ça ne marcha pas, et enfin Castor et Pollux afin de mettre tout le monde d'accord. Ces deux-là finirent fonctionnaires dans le Zodiaque. Du deuxième œuf sortit Clytemnestre, qui fut la sœur d'Hélène, enfin du troisième œuf Hélène, qui fut Hélène. Les enfants se mirent aussitôt à picorer les miettes sur le tapis. Léda s'allongea sur le ventre afin qu'on lui massât les fesses, dans la tendre chair desquelles cette longue couvaison avait imprimé en creux la forme des trois œufs. Le chat réintégra son panier.

Je profite de l'occasion pour vous faire toucher du doigt à quel point ces Grecs étaient bêtes. Ce dieu suprême qui prend la forme d'un cygne pour féconder une mortelle dont il est amoureux, non, mais, quelle couche ! Heureusement, le progrès n'est pas un vain mot. L'homme, peu à peu, devint moins bête et ces billevesées excitèrent son ricanement. Lorsqu'il fut devenu vraiment très intelligent, le vrai Dieu, celui avec une majuscule, se révéla à lui dans toute sa gloire limpide. L'homme sut alors que Dieu, ayant distingué une mortelle d'entre les mortelles, l'avait engrossée en prenant la forme d'une colombe et tout ce qui s'ensuit... Mais revenons à notre Hélène.

... Mourir pour le cul d'Hélène !...

Hélène. Enfin, nous y voilà. La belle Hélène.

Ecoutez. Mettons tout de suite les choses au point. A bien y regarder, elle n'était pas si belle que ça. Pas mal, d'accord. Pas le noir boudin. Il y en a des pires... Mais la vérité c'est que les autres Grecques étaient tellement moches qu'-Hélène avait l'air d'un brillant papillon parmi un tas de vieux bandages à hernies.

Hélène ne savait pas qu'elle était belle. Du moins au début. Car toute sa relative beauté tenait dans son cul. Mais alors, là, quel cul ! Fabuleux. C'est bien simple : il n'avait pas l'air d'être à elle. Il vivait sa vie de superbe animal, derrière elle, solitaire et hautain, ignorant Hélène, ignoré d'elle, évoluant pour son propre compte. Mais quelles évolutions, oï Zeus !

Hélène cependant cheminait, poupée aux yeux vides, et l'on eût dit que ce cul impérial la poussait devant lui. Elle allait où le cul avait décidé qu'elle irait. Plus elle avançait en âge, plus le cul gagnait en splendeur. Et les mâles en foule haletante s'amassaient derrière ce cul, et leurs yeux, l'ayant une fois effleuré, ne s'en détachaient plus, comme s'ils y eussent été reliés par d'invisibles fils.

Il faut les comprendre. La femme grecque de l'époque était animée par un idéal sportif élevé qui la poussait à ahaner sur les stades et lui faisait le mollet sec, la fesse creuse et le sein avare. Hélène, fort délicate de la plante des pieds, préférait manger des rahat-loukoums sur un divan en se faisant raconter des bandes dessinées. (On ne savait pas encore assez bien dessiner pour les dessiner, alors des poètes les racontaient en s'accompagnant sur la lyre sonore, on leur crevait les yeux pour qu'ils aient une belle voix, de temps à autre on remplaçait en douce la lyre sonore par un fer à repasser chauffé au rouge, ça devenait une bande dessinée humoristique.)

Hélène se croyait très mince. Il est vrai que, de son papa le cygne, elle avait hérité un long cou onduleux. Quand elle se mirait dans l'eau claire du ruisseau, seul miroir connu à l'époque, elle voyait ce long cou et elle se disait « Comme je suis mince ! ». Or, pour se mirer dans un ruisseau, il faut se mettre à quatre pattes, si bien qu'on voit sa tête et son cou, mais pas plus bas. Essayez, vous verrez. Hélène n'avait donc jamais vu son cul. Dans toute la Grèce un dicton courait, qui disait : « Comme Hélène de Troie, t'as le bec maigre et le cul gras. » Dicton qui, déformé par la paresse populaire, est devenu : « Comme les oies, etc. » Il faut apprendre les choses pour les savoir.

Abrégeons. Tous les rois grecs (pléonasme) voulaient épouser le cul d'Hélène, et aussi le reste d'Hélène s'il le fallait absolument. Pourtant, des bruits couraient. Déjà, eh oui. Le monde est méchant. Un certain Thésée, un grand rougeaud brutal, l'ayant vue danser une de ces danses sacrées avec d'autres pucelles danseuses dans le temple de Diane, bondit sur ce cul fabuleux, le prit sous son bras et l'embarqua pour sa lointaine Attique où il lui planta sans hésiter un enfant là où ça se plante, puis, sur son élan, courut à l'autre bout du pays occire quelques minotaures dont les beuglements à l'époque du rut troublaient le sommeil de deux ou trois douzaines de rois de par là-bas. Que voulez-vous, tuer les minotaures était son destin, à cet homme, et on ne va pas contre.

Hélène revint chez sa maman, à pied, ce n'était d'ailleurs pas très loin, tenant son enfant par une patte et laissant traîner le reste dans la poussière. Ce n'était pas une mère obsessionnelle. Sa sœur Clytemnestre râcla l'épaisse carapace de pisse, de morve et de caca séché dont l'enfantelet constituait le noyau et mit le lait à tiédir pour le biberon. Hélène retrouva son divan et ses loukoums.

Mais, m'interrompez-vous, puisque Hélène était tellement affolante, sexuellement parlant, comment se fait-il que Thésée pût se détacher d'elle aussi vite ? Ah, ah. Excellente question. Voici la réponse : Thésée, au lieu de rester en extase devant les beautés bouleversantes d'Hélène, eut l'idée d'en faire le tour. Ce fut comme une lumière qui s'éteint. Côté face, Hélène n'avait pas beaucoup de conversation... Enfin, bon, vous voyez, la médisance avait de quoi mordre et la calomnie de quoi vitrioler. Eh bien, plus on insinuait de vilaines choses sur le cul d'Hélène, plus les Grecs en rêvaient. Ah, l'âme masculine, quel marécage ! Tous les rois encore célibataires de la Grèce se bousculaient pour demander sa main à son papa officiel. Les déjà mariés prenaient à peine le temps de jeter leur femme aux cochons. Devant le palais du roi son père, c'était la queue. Abrégeons, abrégeons.

... C'est le sort le plus beau,...

Ménélas l'eut. Retenez bien ce nom. Pourquoi Ménélas ? Pourquoi le cul d'Hélène choisit-il celui-là et pas, par exemple, Achille, ou Ajax, ou Ulysse, qui tous bandaient sec et dur sous leur chlamyde brodée ? Ménélas bandait-il plus sec et plus dur que tout le monde ? Ou peut-être savait-il le faire croire ? L'histoire ici se fait discrète, imitons-la. Ménélas donc épousa le cul d'Hélène et Hélène avec, c'était dans le contrat, et puis au matin il sauta sur son cheval et partit pour la chasse, ou pour la guerre, enfin, bon, on ne le revit plus. Comme Thésée ? Ça donne à penser, non ? J'ai idée que ce cul fabuleux cachait une espèce de malentendu. Une déception, si vous voyez. Et peut-être l'explication doit-elle être cherchée dans ce curieux quatrain trouvé sur un fragment de poterie indéniablement mycénien du sixième siècle avant notre ère qui bouchait le trou d'un pot de géraniums appartenant à Madame veuve Tienbon-Jlanlève, quatrain dont voici l'exacte traduction à partir du grec antique :

Le cul d'Hélène m'avait ensorcelé
Par son aspect compact et vigoureux.
Mais, déception, quand j'y eus pénétré :
Comme un radis le cul d'Hélène est creux !

On remarquera que ça rime aussi en français :
Donc, il semble établi que posséder Hélène n'était pas aussi exaltant que désirer Hélène. Mais ceux qui la désiraient ignoraient cela. Et donc, ils continuaient. Par exemple, Pâris.

Pâris. Ah, celui-là ! Rien que cet accent circonflexe, on voyait tout de suite quel prétentieux ! Mais les femmes, toujours la proie pour l'ombre... Bref, ce Pâris circonflexe enleva Hélène pendant que Ménélas n'en finissait pas de revenir de la chasse ou d'où que ce soit où il était allé, et il l'emporta chez son père à lui, qui était roi d'un royaume lointain au-delà des mers farouches, c'est-à-dire qu'il fallait traverser le Bosphore, lequel présente à peu près la largeur du canal Saint-Martin. Ce royaume exotique s'appelait Troie.

Ménélas revint de la chasse ou d'où vous voudrez, juste trop tard, naturellement, et il pleura à voix de stentor, de stentor cocu, ma pauvre petite innocente Hélène qui s'est fait enlever par cette petite lope perfide ! A moi, mes Grecs ! Sus aux Troyens ! Crevons-les tous ! Il y a mon honneur à ramener et aussi des milliards de choses en or et en diamants derrière les murs de ces maquereaux de Troyens !

Ce fut la guerre de Troie. Je ne vous ferai pas l'injure de vous raconter. Sachez seulement qu'ayant à peine vu le cul d'Hélène les Troyens hennirent comme des juments en rut et se firent avec enthousiasme massacrer jusqu'au dernier pour garder ce cul chez eux, et massacrer leurs femmes et leurs petits enfants, et aussi leurs chevaux, leurs ânes et leurs moutons, et brûler leur ville splendide... Tout ça pour ce machin décevant... Tant il est vrai que l'homme préfé-rera toujours le désir à l'assouvissement, le rêve

à la réalité, et toutes ces choses philosophiques.
Ceci s'appelle l'Idéal.

... le plus digne d'envie ! (bis)

Oui, mais Hélène ? Oh, Hélène. Eh bien, elle
vécut longtemps auprès de son Ménélas, et à la
fin son cul ne suscitait plus les guerres de Troie.
Mais, comme aimait à le répéter Hélène elle-
même, en souriant de son hideux sourire de
vieille où branlait une dent aussi noire qu'unique :

— Heureusement, un moment vient où l'on
découvre qu'un cul sert aussi à s'asseoir.

Ce sera notre conclusion.

FÉLIX POTIN

JE veux chanter ici la gloire d'un géant. Un petit géant, c'est vrai, peut-être même le plus petit géant du monde, mais un géant français. Et même l'archétype de ce qu'il y a de plus français. En effet, quoi de plus français que Félix Potin ? Félix Potin, mais c'est la France elle-même ! On ne s'imagine pas Félix Potin autrement qu'un béret basque pas très propre sur la tête, un mégot de gitane maïs en coin de lippe, dégustant en famille un camembert bien fait dans sa salle à manger Henri II, devant un poêle Godin, les pieds dans des pantoufles du docteur Dupont et le litre de rouge à portée de la main.

C'est avec un sens inné de la justice puissamment secondé par une clairvoyance aiguë que le poète a pu dire de lui, en s'accompagnant sur la lyre aux vibrants accords : « Toujours les meilleurs qui s'en vont ! » Sentant l'inspiration s'emparer de lui, le poète se risqua à ajouter : « Dommage pour ceux qui restent » mais, s'apercevant que ça ne rimait pas autant qu'il aurait cru, il se tut, plein de confusion, et

s'enfuit sous les huées de la famille et les ricanements des croque-morts.

Trier des lentilles...

On a pu dire de Félix Potin : « C'est un gros qui fait semblant d'être un petit », mais aussi : « C'est un petit qui se prend pour un gros », et encore : « Une grosse pieuvre qui s'engraisse de la sueur des petits »... Nous pouvons donc en conclure que nous avons affaire à une personnalité complexe, malaisée à cerner, mais qui certes ne saurait laisser indifférent l'observateur gourmand de ces choses.

Félix Potin est, en tout cas, n'en déplaise à ses détracteurs, l'exemple vivant de ce que peuvent faire l'honnêteté, le travail, l'économie, la sobriété, l'obséquiosité et le calcul mental, quand ces précieuses qualités sont menées avec une poigne de fer dans un gant de boxe.

Le plus paradoxal de sa gloire réside peut-être dans son nom même, si rébarbatif, si difficile à prononcer pour des lèvres françaises. Le choc de ce « x » et de ce « p » est absolument contraire aux habitudes articulatoires des braves gens de chez nous. On s'en tire tant bien que mal par des « Félisque Potin », par des « Félispotin », piteux aveux d'impuissance qu'on aurait pu croire nuisibles à la popularité du grand homme. Or, il n'en est rien. On ne dit pas : « Je vais chez l'épicier », on dit : « Je vais au félispotin ». Car ce nom propre est devenu nom commun, tel celui de Victor-Amédée Chiottes, ce qui est bien le summum de la consécration populaire.

Aussi loin que l'on remonte dans l'histoire des hommes, il y eut toujours un Félix Potin. Dans la grotte de Lascaux, un peu à l'écart de la grande chasse aux bisons qui est une fresque absolument grandiose surtout quand on pense qu'ils peignaient ça sur le mur avec du caca projeté avec force et étalé à coups de poing, un peu à l'écart, donc, vers la droite, on remarque un personnage tout aussi préhistorique que les autres, mais coiffé d'un béret basque en pierre taillée et protégé par un tablier de même étoffe. A cette panoplie typique du petit épicier français nous reconnaissons sans aucun doute possible un ancêtre de Félix Potin. Si nous regardons plus attentivement, nous distinguons fort bien la boîte de raviolis à la tomate que ce personnage est en train de céder à un chasseur en échange de deux mammouths fraîchement tués, plus trois haches de silex et six jeunes filles vierges pour faire l'appoint.

On retrouve l'image d'un Félix Potin sur un bas-relief mésopotamien portant, en caractères délibérément cunéiformes, la fière devise qui a su traverser, intacte, les siècles : « Félix Potin, on y revient. » Un quelconque voyou des faubourgs de Babylone, poussé à coup sûr par une infecte jalousie, a cru spirituel d'ajouter : « … avec un gourdin ! » L'histoire jugera.

… c'est plus difficile…

Comme tous les Félix Potin au long des siècles, le nôtre débuta fort modestement. En son jeune âge, il croyait au Père Noël, ce qui est le propre de tous les bambins, et sa douce maman, voulant lui éviter le choc amer de la déception, ne le détrompait pas. Il écrivait au Père Noël des lettres pressantes et demandait à sa maman de l'argent pour le timbre, ce qu'elle ne lui refusait jamais. Tout ceci serait fort banal si cette correspondance à sens unique ne se fût entretenue tout au long de l'année, à la cadence d'une lettre par jour. A sa maman qui s'étonnait l'enfant avait répondu une fois pour toutes que ceux qui n'écrivent au Père Noël qu'aux jours qui précèdent immédiatement sa venue sont des égoïstes et des sans cœur, et que le Père Noël souffre certainement de n'être aimé qu'en fonction des cadeaux qu'on attend de lui. Félix voulait que, tout au long de l'année, le bon vieillard se sentît aimé pour lui-même. Sa maman, émue d'avoir mis au monde un enfant si sensible, s'alla cacher dans son boudoir pour verser les douces larmes de la maternité comblée et n'émit désormais plus d'objection à la dépense du timbre-poste quotidien.

Or, les sous bien serrés dans sa petite main, Félix courait s'acheter des sucreries pernicieuses dans une de ces boutiques vouées au commerce des friandises frelatées qui poussent, comme des champignons vénéneux, juste à côté des écoles, ainsi qu'eût fait n'importe quel enfant normal. Où il s'en distinguait, de l'enfant normal, c'est qu'il ne se goinfrait pas bêtement de rouleaux de réglisse, de roudoudous ou de carambars. Pas du tout. Il se contentait de lécher et de sucer superficiellement toutes ces bonnes choses, et puis il les remettait dans le papier et il les revendait à ses petits camarades.

Il faisait cela en classe. La case de sa table lui servait de magasin, la marchandise passait de main en main à l'insu de l'instituteur, la monnaie en faisait autant, mais en sens inverse. Il vendait deux fois plus cher qu'il n'avait acheté. Normal : il prenait des risques. Et il faisait payer aussi le plaisir du fruit défendu. Enfin, bon, le petit Félix avait réinventé le commerce de détail.

Par la suite, son volume d'affaires grossissant, il céda une partie de son stock à des camarades opérant dans les autres classes. Il leur laissait une petite partie du bénéfice ainsi que le droit de lécher la marchandise après lui, si bien qu'elle arrivait nettement diminuée en volume au consommateur payant, mais cela ne nuisit jamais à l'empressement dudit consommateur. Félix venait, deuxième étape, d'inventer les établissements à succursales multiples.

... mais c'est bien plus beau...

Je ne vais pas ici retracer les lumineuses étapes de son impeccable trajectoire. Il passa dans le ciel de l'épicerie comme un fulgurant météore, imprimant son empreinte ineffaçable sur maints aspects de cette vitale activité. Je ne citerai que l'exemple suivant.

En ces temps qu'on se plaît à qualifier d'héroïques, l'ordinateur à trier les lentilles n'était pas encore inventé. Or, trier les lentilles est peut-être la plus noble, mais aussi la plus chargée de responsabilités de toutes les innombrables tâches qui incombent à l'épicier. On confiait ce délicat travail à de jeunes enfants, car leurs yeux vifs et leurs doigts agiles y faisaient merveille. Ces enfants appartenaient généralement à des familles pauvres, et les deux sous qu'on leur octroyait comme salaire à la fin du mois permettaient au père de se payer un litre de onze degrés ordinaire, qu'il achetait d'ailleurs chez Félix Potin (s'il l'achetait autre part, ou s'il dépensait bêtement cet argent en colifichets, en vêtements, en pharmacie, bref, en produits qu'on ne trouve pas habituellement chez Félix Potin, l'enfant était fichu à la porte). Cette jeunesse en pleine croissance avait un appétit proprement stupéfiant. Dès que le surveillant tournait la tête, l'enfant s'envoyait subrepticement une poignée de lentilles, crues et fort dures, dans la bouche, et les avalait, sans prendre le temps de les mâcher, bien évidemment, car déjà l'œil d'aigle du surveillant était à son poste. Quelle santé ! Nous autres, on ne pourrait pas. D'autant qu'ils les avalaient non triées, avec encore les cailloux dedans... La perte, minime à vrai dire, n'en avait pas moins une incidence tangible sur la marge bénéficiaire. Cela posait problème.

C'est alors que se déploya le vaste génie de Félix Potin. Il se pencha sur la question et mit au point l'imparable muselière pour trieur de lentilles, invention proprement révolutionnaire que le monde nous envie mais dont le secret demeure jusqu'à ce jour soigneusement gardé.

Par la suite, le génial inventeur perfectionna encore son système. Non seulement le nouveau modèle empêchait le trieur de dévorer les lentilles, mais encore lui interdisait-il de manger les cailloux. Car, entretemps, le béton armé avait conquis le monde civilisé et les cailloux séparés des lentilles avaient de ce fait acquis une valeur marchande non négligeable en qualité de gravier à béton...

... que trier des haricots !

Son prénom peu commun et pourtant si harmonieux devait lui valoir une malencontreuse aventure qui aurait fort bien pu jeter son empire à bas. Voici les faits. Le président de la République de l'époque avait lui aussi pour prénom Félix. Félix Faure était son nom tout au long. Or ce haut magistrat, de tempérament plutôt sanguin, rendit l'âme un jour en pleine envolée sentimentale au moment précis où l'avenante personne qui s'affairait, à genoux devant le canapé, sur le site le plus sentimental de la périphérie de l'auguste anatomie, voyait enfin luire à l'horizon la jaillissante récompense de sa ténacité.

Cela fit, on le pense bien, un énorme scandale, malgré les efforts des corps constitués pour cacher la vérité au peuple. Car la vérité finit tout de même par filtrer, mais, en passant de bouche à oreille, le message perdit quelque peu de son intégralité, et finalement on se racontait sous le manteau que Félix Potin était mort en se faisant faire une pipe par une cliente sur une palette de paquets de nouilles Lustucru. L'indignation, puis la colère, grondèrent. Des associations de cocus potentiels se constituèrent, déposèrent leurs statuts selon les dispositions de la loi de 1901 sur les associations à but non lucratif et non reconnues d'utilité publique, et puis marchèrent, brandissant barres de fer et manches de pioche, sur les nombreuses succursales qui arboraient fièrement sur leur enseigne la raison sociale « Félix Potin ».

Il y avait du saccage dans l'air. Félix Potin cependant se terrait dans un tonneau de choucroute, stoïquement résigné au fer homicide, lorsqu'un émissaire de l'Elysée, portant un drapeau blanc, surgit à bride abattue et, sautant à bas de son cheval couvert d'écume qui, au même moment, s'abattit, foudroyé, cria :

— Arrêtez ! C'est une tragique erreur !

Les justiciers dirent :

— Tu as dix secondes pour t'expliquer, étranger.

Et ils tirèrent leurs montres. Il s'efforça de parler très vite.

— Ce n'est pas ce Félix-là. Je ne peux rien vous dire de plus. Secret d'Etat. Défense nationale. Sachez seulement que Félix Potin est inno…

— Dix ! Cela fait tes dix secondes. Pas un mot de plus. Ce n'est pas lui, cela nous suffit. Mais nous trouverons l'autre. Le Félix maudit. Et nous ferons avouer à ses sbires et argousins lequel de nous est cocu. Allons, mes braves !

Ils pillèrent un petit peu, et puis ils rentrèrent chez eux. Mais la suspicion était en eux, chacun d'eux regardait sa femme d'un drôle d'air, cherchant sur ses lèvres les gluances de l'infa-

90

mie. Jamais plus les choses ne furent tout à fait comme autrefois.

Un autre jour, on le prit pour Félix le Chat...

Mais il est temps d'en finir avec ce véridique récit. Sachez seulement que, de toute sa vie, Félix Potin ne commit jamais l'imprudence de consommer un produit vendu dans ses magasins, c'est une justice à lui rendre. Dont acte. Ainsi soit-il. Requiescat in pace. C'est ça. Ite missa est. Le bonjour chez vous. Amen. Tu l'as déjà dit. Oui, mais cette fois, c'est en latin. Non, c'est de l'hébreu. Ah ? Tiens, je savais pas. T'es sûr ?

CHRISTOPHE COLOMB

CHRISTOPHE COLOMB était très bête. Il croyait tout ce qu'on lui racontait. Un de ces types qui veulent absolument se faire remarquer passa un jour dans son village en prétendant que la Terre est ronde. Christophe Colomb, jusque-là, l'avait crue plate, comme n'importe qui de normalement intelligent et à jeun. Il était jeune, vous savez ce que c'est, et donc prêt à sauter sur n'importe quoi d'un peu anticonformiste. Il se mit aussitôt à croire fermement que la Terre est ronde et que, si l'on s'en va vers la gauche et qu'on marche toujours tout droit, on revient par la droite. Vous voyez, quel jobard ! Elle est ronde, d'accord, mais quand même pas à ce point-là !

Enfin, bon, il avait une excuse : c'était un immigré. Un Italien, pour être précis. Né dans l'agreste village de Bettola, dans la Valnure, près de Plaisance. Les Italiens sont les plus immigrés de tous les immigrés. Ils sont immigrés en venant au monde. Ils sont immigrés dans leur propre village. Ils sont malheureux tant qu'ils ne sont pas partis pour l'étranger.

L'étranger est la vraie patrie des immigrés, c'est là qu'ils s'épanouissent et accomplissent pleinement leur destin qui est de se faire cracher à la gueule en se livrant avec passion aux travaux fatigants ou répugnants que les gens du pays méprisent, c'est là qu'ils se font traiter de métèques, de bougnoules, de sales ritals et de retourne-dans-ton-pays-de-merde-au-lieu-de-bouffer-notre-pain-blanc. En plus, sa qualité d'Italien lui valait les petites gâteries spéciales et traditionnelles de « fourbe » et de « coup-de-poignard-dans-le-dos ».

Christophe Colomb, c'est dans les Espagnes qu'il s'immigra. A l'époque, c'était le coin vraiment intéressant pour l'immigration. Les Espagnols nageaient dans l'abondance et ne voulaient plus exercer que deux métiers : Grand d'Espagne ou toréador. Et comme c'est un peuple qui a le sens de la dignité poussé au plus haut point, les Grands d'Espagne crachaient sur les travailleurs immigrés des crachats excessivement gros et les toréadors, pour ne pas avoir l'air moins dignes que les Grands, en crachaient d'encore plus gros.

Si Christophe Colomb...

Tout en tirant par la queue hors de l'arène de lumière les taureaux morts glorieusement,

Christophe Colomb ruminait sa grande idée. Ah, dame, celui-là, quand il en avait une en tête, il ne l'avait pas autre part, ainsi que le répétait en riant la reine des Espagnes chaque fois qu'elle le trouvait prosterné sur son chemin et lui tendant humblement mais fermement le parchemin roulé où ladite grande idée était exposée tout du long avec des dessins très beaux et en couleurs.

La reine ne se contentait pas de lui répéter cette phrase badine. Elle ajoutait à chaque fois :

— Mais allez donc, chère petite vermine, faites-la, votre expérience ! Partez droit vers la gauche, nous verrons bien si vous nous revenez par la droite ! Et si vous vous perdez en route, nous nous ferons une raison.

Et de rire de son joyeux rire cristallin et graillonnant de reine des Espagnes que la ménopause serre à la gorge.

Christophe Colomb ne manquait jamais de répondre, avec logique et accent :

— Ma, la Vostra Mazesté, qué si zé vais toute drvate, il est la mer, et allora dis-m'oun'-po' coumment qué zé fa marcer à pied ? Z'ai bisoin lé bateau, valà ça qué z'ai bisoin.

Ici, la reine, estimant avoir assez ri, lui donnait un gracieux coup d'éventail sur le museau et puis passait son chemin, et chaque dame d'honneur de la reine lui donnait un coup d'éventail, et le Grand d'Espagne ou le toréador, amant du jour de la reine, n'ayant pas d'éventail, lui donnait un coup du plat de son épée sur la tête, et le nain de la reine, n'ayant ni éventail ni épée, lui donnait un coup de pied au cul, lequel coup de pied, transmis par une jambe trop courte, arrivait généralement dans les testicules de Christophe, je ne sais pas si vous avez déjà reçu un coup de pied de nain dans les testicules, mais ça fait très mal.

Un jour, Christophe Colomb décida de changer de méthode. Soupçonnant que la reine n'avait peut-être pas vraiment compris toutes les beautés de son idée, il se prosterna comme d'habitude sur son chemin, à la sortie de la messe, afin de mettre à profit l'intense mais fugitif élan de bienveillance envers les humbles qu'instille en nous l'office divin, mais cette fois, au lieu de son parchemin, il avait à la main une orange. Ça, oui, c'était la bonne méthode ! Vous allez voir.

... avait été chinois...

Christophe, prosterné, brandit son orange, ce qui représente un certain effort acrobatique, et dit à la reine :

— Très illoustrissima la Vostra Mazesté (ces Italiens, quels flagorneurs !), régardez. Céci, il est oun' oranze.

— Hé, je le vois bien que c'est une orange !
Ce n'est pas un pot de chambre ! dit la reine en
riant de son rire graillonnant (ce jour-là, elle
était ménopausée et enrhumée, d'où l'absence
de cristal).

Les dames d'honneur, le toréador et le nain
rirent, s'efforçant de graillonner sans cristaller.

— Cetté oranze, il réprésente la Terra.

— La Terre ? s'étonna la reine.

— Si, la Vostra Mazesté. L'oranze, il est
ronde coummé ouna boule.

— Mais voyons, cette orange est petite. Plus
petite que la Terre, il me semble, non ?
demanda la reine, tournée vers les dames de sa
suite.

— Beaucoup plus petite, Votre Majesté !
s'écrièrent en chœur les dames d'honneur, le
toréador et le nain.

— Peut-être qu'un melon... suggéra la reine.

— C'est ouné quouestione dé proportione,
expliqua Christophe. Zé sais bien qué ça aurait
été plous facile avec ouna boule oussi grosse
coummé la Terra, ma zé mé souis pensé dans la
ma tête qué la Vostra Mazesté intelligentissima
(mais voyez-moi quel lèche-cul, ce Rital !) com-
prendrait même avec oun' oranze.

— Oh, vous savez, je n'y ai aucun mérite, dit
la reine. Nous autres rois, nous savons toutes
choses sans les avoir apprises.

Et elle prit son air numéro cinq, celui de la
modestie charmante.

Dans son autre main, Christophe tenait un petit pois.

— Qué la Vostra Indulgentissima Mazesté daigne régarder. (On se demande où il va les chercher !) L'oranze, il est la terra. Lé pétite pois, il est moi. Zé lé pose là. C'est l'Espagne. Zé marce vers la gauce. Zé marce, zé marce. Bon. Et allora, qu'est-cé qui arrive ? Il arrive lé bord dé la mer. Si z'ai pas lé bateau, zé m'assis sour la plaze et zé dis « Ma quel doummaze ! » Si z'ai lé bateau, zé navigue, zé fais lé tour et zé réviens par l'outre couté. Ecco !

— Ah, ah ! dit la reine. Je vois ce que vous voulez dire. (Menteuse ! Elle ne voyait rien du tout !) En somme, vous voulez un bateau ?

— Trois, la Vostra Mazesté. Pourquoi si oun' bateau il coule, zé monte dans l'autre. Et si l'autre il coule oussi, zé monte dans lé troisième.

— Et si le troisième coule ?

— Allora, z'apprende à nazer.

La reine réfléchit. Enfin, disons qu'elle prit son air numéro douze bis, celui de la réflexion intense.

— Et, dit-elle, qu'est-ce que ça me rapporte ?

— La gloire, la Vostra Gloriosissima Mazesté !

— Ça, j'ai déjà. Ainsi que vous venez de le dire, d'ailleurs, je vous ferais remarquer.

Colomb se mordit les lèvres. Les superlatifs,

c'est comme tout, il faut faire attention. Il eut une inspiration :

— Des éventails !

— Des éventails ? répéta la reine, mais avec un point d'interrogation. Des éventails ! répéta-t-elle, alléchée.

Elle adorait les éventails.

— Mais, objecta-t-elle (et son front se plissa dans le mauvais sens), mais les éventails viennent de la Chine !

— Zoustément, la Vostra Mazesté ! La Cine, il est à l'Orient. Si zé pars vers l'Occident, z'arrive à l'Orient.

— Bien sûr, bien sûr... dit la reine (mais son front se plissait de plus en plus). Répétez voir ça.

— Zé pars vers l'Occident, zé fais lé tour, et z'arrive en Orient par la porte dé derrière. Simplicissimo.

En même temps, il montrait la chose avec son orange et son petit pois.

— Et zé vous rapporte ouné montagne d'éventails ! Qué les Cinois, ils font les plous beaux éventails dou monde ! D'accordo ?

— D'accord, dit la reine. J'en parle à mon mari.

... il aurait découvert l'Amérique...

Où commence l'eau ? Où finit le ciel ? O immensité ! Les poissons même s'y trompent et

99

ne savent plus s'ils sont sardines ou cormorans. O vide ! O espaces !... Mais quels sont ces trois points qui, surgis du néant, peu à peu se rapprochent ?... Vous l'avez deviné : ce sont les trois nefs de Christophe Colomb, la « Santa Maria » et les deux autres dont on n'arrive jamais à se rappeler le nom, et on a bien raison, pourquoi se charger la tête ?

Eh, oui ! Il les a eus, ses bateaux ! Triomphe de la confiance en soi, de l'esprit d'entreprise, de la mâchoire crispée sur la pensée féconde... Ah, certes, si quelqu'un était digne de te découvrir, Amérique, c'était bien celui-là !

Voyez-le, debout sur la dunette de sa caravelle (Pourquoi « caravelle » ? Eh bien, ces nefs d'un type nouveau, relevées du bec et du croupion, ressemblaient à des canards en train de nager. On les appela donc tout naturellement « canardelles ». Les Espagnols, qui prononcent tout de travers, déformèrent cela en « caravelle », ce qui est ridicule. Il faut se moquer de ces rustauds. D'autres, il est vrai, proposent une étymologie différente. « Caravelle » viendrait de « caramel », prononcé avec, justement, un caramel dans la bouche. Mais pourquoi « caramel » ? Eh bien, si l'on mâche un caramel jusqu'à lui donner la consistance voulue, on peut très aisément lui imprimer la forme d'une de ces nefs. On peut choisir l'une ou l'autre voie, selon qu'on aime les caramels ou qu'on n'aime pas les Espagnols.

Racisme, je te hais. Ferme la parenthèse, tu veux ?)... donc, voyez-le, sur la dunette (Le mot « dunette » vient de... Ah, non, tu vas pas remettre ça ?... Bon, bon.)... sur la, donc, dunette, l'œil rivé à l'horizon, les mains tenant ferme la roue du gouvernail. Non, pas « les mains ». « Une » main. Une seule main. La gauche. De l'autre, il tranche de son sabre d'abordage la tête d'un mutin qui s'écroule en poussant la moitié d'un cri sauvage. L'autre moitié restera intentionnelle, la lame du sabre ayant coupé juste à ce moment le bout de tuyau qu'il y a entre le larynx, appareil producteur des sons, et les poumons, soufflerie alimentant cet instrument à vent en air sous pression. Le mutin, donc, s'écroule. Un double jet de sang s'élance vers les cieux. Ce sont ses deux artères carotides — mais vous les aviez reconnues — qui chantent leur, si j'ose dire, chant du cygne. Sur le pont, en bas de l'escalier de la dunette, d'autres mutins, vociférant derrière un tas de cadavres : ceux qui tentèrent l'escalade.

Pourquoi se sont-ils mutinés ? Parce qu'ils n'ont pas la foi. Le lard est trop salé, les lentilles pas assez cuites, le vin du onze degrés ordinaire alors qu'on leur avait promis du douze supérieur. Et puis, ça manque de femmes, ils ont mangé le mousse depuis longtemps, non qu'ils manquassent de calories mais pour les vitamines, or Christophe, il faut le reconnaître, a la jambe bien faite et la croupe dodue... Bref, ils veulent retourner chez leur maman. Tout de suite. Ils exigent que l'amiral Colomb fasse demi-tour. L'amiral ne demanderait pas mieux, mais le gouvernail est bloqué. Il ne veut pas le leur dire, pour ne pas affoler ces braves gens. En fait, il a le doigt coincé dans le gouvernail. Si bien qu'il ne peut pas bouger de là et doit se défendre d'une seule main, quand il n'écope pas, car la caravelle prend l'eau. Et, bien sûr, la caravelle ne connaît qu'une seule direction : droit devant ! Droit à l'Ouest !

Soudain, Christophe aperçoit dans les cieux une blanche colombe. Elle porte dans son bec un rameau d'olivier. Il crie, au comble de la joie :

— Terre ! Terre !

Dans sa bouche tombe du ciel une fiente épaisse et puant le poisson. La colombe n'était qu'une mouette, la branche d'olivier un hareng... Les marins mutinés, lâchement, mettent à profit cet instant d'abandon. En un clin d'œil, Colomb est submergé, renversé, déculotté... On lui passe les organes sexuels au cirage. On lui verse un seau d'eau de mer sur la tête. Un des matelots, déguisé en dieu Neptune, déclare solennellement :

— Amiral, tu es maintenant baptisé. Tu es admis à passer la Ligne.

Tous applaudissent et rient. On balance les cadavres par-dessus bord... Mais quel est ce choc brutal qui soudain fait basculer tout le monde cul par-dessus tête ? Dans quoi donc de mou et de ferme tout à la fois s'enfonce la « Santa Maria » ?

— Terre ! crie l'amiral, la bouche pleine de terre.

Mais un autre choc démolit la caravelle amirale. C'est la deuxième caravelle qui lui rentre dans le cul. Et, boum, un troisième choc ! Devinez...

... par le mauvais bout.

Aussitôt, Colomb saute à terre et cherche les Chinois pour leur acheter des éventails... Abrégeons. Vous, vous savez qu'il n'était pas en Chine, mais en Amérique. Il ne savait pas qu'il l'avait découverte. Il ne l'a jamais su. Je vous l'ai dit, il était très bête. Le seul Italien bête qu'il y ait eu dans toute l'histoire, vous pouvez vérifier. Il rentra en Espagne ct dit au roi et à la reine qu'il avait découvert la Chine, et il voulut la leur vendre. Ils se moquèrent de lui et le traitèrent d'escroc. Et puis ils envoyèrent des sous-officiers et des contremaîtres là-bas pour tuer les indigènes et ensuite les faire travailler dans les mines d'or. Colomb dit que c'étaient des hommes comme les autres. Le roi le traita de gauchiste et le prévint :

— Attention ! Continue comme ça et tu vas voir...

Et puis il ajouta, non sans condescendance :

— Découvrir l'Amérique, c'est pas sorcier, finalement. Suffisait d'y penser.

Les courtisans ricanèrent servilement.

Colomb prit un œuf dur (il avait de la chance, on n'a pas toujours un œuf dur sous la main quand on parle au roi) et le présenta au roi en disant (avec respect) :

— Est-cé qué la Vostra Magnifiquissima Mazesté elle poutrait fare ténir quouest'of débout sour la sa pvointe ?

Le roi essaya. (Comme si un roi devait s'abaisser à de pareilles conneries !)

— Je ne puis, dit-il.

Alors, Colomb prit l'œuf et, non sans un petit air de triomphe, à mon avis regrettable, dit :

— Voilà !

Et il posa l'œuf sur la table un peu sèchement, de façon que, la pointe s'écrasant légèrement, il tînt debout. Mais (on ne saurait penser à tout) l'œuf était cru...

Le roi eut du jaune d'œuf plein la couronne, plein la barbe, plein les yeux... Colomb se retrouva en prison. Il ne l'avait pas volé.

Le reste de la vie de Christophe Colomb ne vaut pas la peine d'en parler. Il retourna manger ses économies dans son Italie natale, ce qui, à mon avis, n'est pas trop correct envers le pays qui vous a nourri pendant tant d'années, et puis il mourut, et bon, quoi.

Si nous faisons le bilan de l'œuvre de Colomb, nous pouvons dire que :

A — Il a découvert l'Amérique, mais il ne le savait pas.

B — Il a inventé l'art de comparer la Terre à une orange, ce qui a été d'une utilité immense pour faire comprendre le système solaire aux petits enfants.

C — Il a apporté la vérole à l'Europe, mais ça on l'a su plus tard.

EINSTEIN

Einstein représente le prototype accompli de l'homme célèbre. Même Victor Hugo n'est pas aussi célèbre. Plus célèbres qu'Einstein, il n'y a que Jésus-Christ et Hitler. On peut donc dire qu'Einstein a réussi dans la vie. Hitler aussi. Le cas de Jésus-Christ est un peu différent. Jésus-Christ ne risquait guère de rater sa vie, puisque au départ il était le bon Dieu, déjà vous voyez le coup de pouce, alors ne venez pas me parler loyauté de la compétition, que le meilleur gagne et cette sorte de choses... Ne restent donc en piste qu'Einstein et Hitler. Prononcez le nom de Hitler devant un Indien du fin fond de la forêt amazonienne — non, pas un avec un os en travers du nez, faut quand même pas pousser, ils ne sont plus comme ça, maintenant ils ont une bouteille de Coca-Cola en travers du nez, l'âge de pierre n'est plus ce qu'il était (soupir) —, eh bien, l'Indien, il sait qui c'est, Hitler. Pour Einstein aussi, il sait. Poussez un peu l'interrogatoire, il vous dira qu'un de ces deux-là a jeté la bombe atomique sur les Juifs pour les guérir d'être juifs, il ne se rappelle plus exactement lequel des deux, mais un des deux, ça il est sûr.

Einstein dit : ...

Donc, pour le monde entier, Einstein égale Hiroshima. Et rien de plus. C'est déjà pas si mal, direz-vous. Pasteur lui-même, qui est presque aussi bien placé qu'Einstein au hit-parade des célèbres, n'a réussi à inventer que la rage, et pourtant il s'en est donné, du mal... D'accord, la bombe atomique c'est plus intéressant que la rage, question rendement à l'hectare. Quoique, à bien regarder, la rage vous donne le droit de flinguer à vue, même en dehors des périodes d'ouverture de la chasse, les renards, les blaireaux, les lièvres, les hérissons, les écureuils, les chiens, les chats, les belettes et les petits lapins, et aussi les poules, les canards, les chercheurs de champignons et les petits chaperons rouges, et puis encore, naturellement, cela va de soi et c'est même un devoir envers l'humanité, les enragés notoires, ceux qui ont été mordus ou qui auraient pu l'être, sans oublier les pesteux, les lépreux, les galeux, les pouilleux, les hernieux, les eczémateux, les affamés du Sahel et les vieux pères qui n'en finissent plus de crever sur leur magot, les sots, avec cette inflation galopante, enfin tous ces malheureux dont les symptômes se confondent si aisément, hélas, avec ceux de la rage, mais bien sûr on n'a pas le droit de prendre le risque. Mais bon, du point de vue son et lumière, la supériorité de la bombe atomique ne se discute même pas, d'accord, d'accord, je me tais.

Ce que je tiens néanmoins à préciser, c'est que le splendide succès de la bombe a complètement rejeté dans les humides bas-fonds de l'indifférence les autres travaux du grand Einstein, lesquels ne sont cependant pas minces et suffiraient à eux seuls à assurer la renommée de n'importe quel dompteur de puces savantes... Comme si, jusqu'à la bombe, Einstein avait perdu son temps à des bricolages futiles. Ceci est injuste.

Lorsqu'on demandait au petit Albert ce qu'il aimerait devenir plus tard, l'enfant répondait sans hésiter, en vous regardant droit dans les yeux avec cet air sémite qu'il avait :

— Quand je serai grand, je veux devenir savant fou.

Il tint parole. Il fit mieux : il créa le personnage immortel du savant fou, tel que les foules aiment qu'il soit. Au cinéma, dans les bandes dessinées, partout, il est désormais absolument impossible de s'écarter si peu que ce soit du modèle mis au point par Einstein, ou alors c'est le bide assuré. La tignasse hirsute et de neige, la moustache en petit balai pour cuvette des cabinets ayant récemment servi, l'œil tout à la fois intense, hagard et strabique divergent, la langue tirée (il tirait la langue en permanence, son imprésario l'avait fait mettre dans le contrat, pour l'image de marque, si vous voyez, il y a toujours un de ces photographes qui rôde, très très fatigant...), voilà ce qui nous jaillit à la mémoire quand nous évoquons Einstein. Ce qui à soi seul constitue une magnifique réussite de plus à mettre à l'actif de l'enfant prodige, réussite où le penseur se plaît à reconnaître le fruit de la collaboration de la précocité et de la ténacité marchant la main dans la main comme sur l'insigne de la C.G.T.

$$\ldots \ll E = mc^2 \gg \ldots$$

Mais déjà Einstein faisait pleuvoir sur le monde les merveilles nées de son fantastique génie. A peine âgé de quatre ans et six mois il inventait la cintreuse à courber l'espace-temps, qu'il offrit pour la Fête des Pères à l'auteur de ses jours, prodigieux engin dont aujourd'hui encore il est interdit de s'approcher à moins de deux cents milles nautiques, quand vous percevez le contact du fil de fer barbelé sur votre nombril il est déjà trop tard, les mitrailleuses automatiques crachent de partout, adieu, ami, je commençais à m'habituer à vous.

Monsieur Einstein père, heureux, vous pensez, c'était justement le cadeau dont il rêvait depuis toujours, appuya aussitôt avec une joie d'enfant sur le bouton prévu pour ça, mais non, c'était l'autre, le vert, qu'il aurait dû, le rouge servait à inverser la vapeur ou ce qui tenait lieu de vapeur dans ce truc, et alors, bon, l'espace-temps, avec un grand cri de mauvais augure, se courba sur-le-champ dans l'autre sens, le mauvais, enfin tous les journaux de l'époque ont rapporté l'horrible cataclysme, avec des photos très belles quoique en noir et blanc, Paul Valéry s'écria, parmi un tas d'autres vers admirables : « Civilisations, souvenez-vous que vous êtes mortelles ! », et même le cinématographe Lumière, qui venait à peine d'être inventé comme par un fait exprès, le mit dans les actualités entre l' « Entrée du Train en Gare » et « Bébé pisse dans sa Soupe », car Monsieur Lumière passait justement par là, sa caméra en bois et à manivelle sur l'épaule, Louis ou Auguste, je n'ai pas la mémoire des noms, enfin pas celui qui jouait aux courses et qui rentrait toujours bourré pour se consoler d'avoir perdu et après sodomisait sa femme sous les yeux horrifiés de l'enfant, non, plutôt l'autre, vous voyez qui je veux dire, le petit tout jaune qui puait du bec et est mort écrasé par une automobile à pétrole alors qu'il était tranquillement en train de mourir du cancer de la prostate, il y a des gens que la fatalité a marqués au front.

Madame Einstein, la maman d'Albert, vit

depuis ce jour fatal ses menstrues perdre la belle régularité qui faisait l'admiration du quartier. Ou bien il y en avait trop, ou bien pas assez, ou pas du tout, ou trop souvent, ou trop rarement, ou d'une couleur qui donnait à penser... Insister serait indiscret, bornons-nous, pour les nécessités de notre enquête, à constater que son front se fit soucieux et qu'elle n'usa plus de la même assurance pour faire remarquer à la crémière qu'elle lui avait refilé un œuf douteux.

C'est à la suite de ces perturbations que l'Allemagne perdit la guerre de 1914-1918, la seule, la vraie, celle qui valait vraiment la peine. L'empereur d'Allemagne flanqua les Einstein à la porte. (Vous ai-je dit que tout cela se passait en Allemagne ? Alors, je vous le dis.) Mais trop tard, le mal était fait, déjà la révolution enfonçait son sinistre bouchon de paille dans le cul de l'empereur et y mettait le feu.

Einstein et les siens furent accueillis par la Suisse généreuse, mère de tous les persécutés. Einstein, travaillant d'arrache-pied, inventa la Relativité et le président de la Suisse perdit son appareil acoustique dans un lieu mal famé. Le même jour, oui. Fatalitas. Toujours les cataclysmes... La Suisse, généreuse mais pas suicidaire, reconduisit courtoisement la tribu Einstein à la frontière.

Ouvrons ici une parenthèse.

... et Dieu resta...

Qu'est-ce donc que la Relativité ? Eh bien, c'est assez ardu à expliquer, surtout si l'interlocuteur n'a pas reçu une culture mathématique de très haut niveau, comme voilà justement vous, sans vouloir vous vexer. Heureusement, il est possible, pour l'essentiel, de résumer la théorie de la Relativité en une formule simple et élégante. Cette formule, la voici : Newton est un con. Si vous avez compris ça, vous avez tout compris.

Il faut regarder les choses en face. Je ne sais pas si les insinuations perfides que j'ai semées çà et là dans le cours de cet exposé vous ont déjà mis la puce à l'oreille ou bien si vous êtes vraiment très bête. Je vais faire comme si vous étiez très très bête. Je vais mettre, comme on dit, les points sur les « i ». Voilà. Einstein était juif. Allons à la ligne.

Einstein était juif. Newton ne l'était pas. Je ne sais pas si vous vous rendez compte. Je ne suis pas raciste, mais j'estime qu'avant de ridiculiser les gens on doit commencer par se poser deux questions. Premièrement : « Suis-je ou ne suis-je pas juif ? » Deuxièmement : « L'autre est-il ou n'est-il pas juif ? » Ensuite, ayant répondu à ces deux questions préalables, on trace un petit tableau, avec des cases, comme ci-dessous :

Ridiculisateur	JUIF	NON JUIF
Ridiculisé	JUIF	NON JUIF

Nous décidons de symboliser par une flèche l'action du ridiculisateur vers le ridiculisé.

Nous voyons tout de suite que quatre cas peuvent se présenter :

Cas n° 1 : Ridiculisateur juif → Ridiculisé juif.

Cas n° 2 : Ridiculisateur juif → Ridiculisé non juif.

Cas n° 3 : Ridiculisateur non juif → Ridiculisé juif.

Cas n° 4 : Ridiculisateur non juif → Ridiculisé non juif.

Des calculs compliqués ont prouvé que seuls trois cas sont possibles, étant donné la structure de l'espace-temps : les cas n° 1, 3 et 4. Le cas n° 3 est particulièrement recommandé. Le cas n° 2 est absolument impensable.

La Relativité d'Einstein ressortit au cas n° 2. Hélas.

... baba !

Einstein n'aurait pas dû.

Mais ce fut plus fort que lui. On ne bâillonne pas le génie. On ne triche pas avec la vérité. Advienne que pourra.

Il advint ce que put. C'est-à-dire ceci : les honnêtes gens, indignés, se groupèrent en associations pour la défense de la mémoire du grand Newton, sous la devise « Touche pas à Newton ! », soit en allemand : « Newton, Ach Zalopartt Inzwschtzmorff ! » (car le mouvement prit naissance en Allemagne, patrie des sciences et de la philosophie), ce qui s'exprime par les initiales N.A.Z.I.

Ce raccourci devait devenir le prestigieux signe de ralliement des défenseurs de la Pensée et de la Culture menacées par les énergumènes. Bientôt un chef lumineux se dressa, un véritable prophète inspiré : Adolf Hitler.

Hitler prit la tête de la croisade pour Newton. De quoi s'agissait-il ? D'empêcher de nuire les anti-newtoniens. Combien y en avait-il ? Un : Einstein. Comment reconnaître et attraper Einstein ? Très facile, à première vue : Einstein avait une tête de savant fou. Oui, mais Einstein, n'oublions pas cela, était juif. Les Juifs font preuve entre eux d'une solidarité absolument diabolique. Tous les Juifs de la Terre se firent aussitôt une tête de savant fou. Même les petits enfants. Même les culs-de-jatte. Il n'y avait que des Einstein partout. Hallucinant. Le véritable Einstein ricana. Aussitôt, tous les faux Einstein ricanèrent. Comment trouver le bon ?

Hitler eut une idée. Il dit à ses fidèles nazis :

— Ramassons-les tous et brûlons-les. Le vrai Einstein se trouvera forcément dans le tas.

L'opération commença, avec ordre et méthode. Einstein prit la fuite, car il était un peu lâche. Il se réfugia en Amérique. Vous connaissez les Américains : tous des snobs qui se croient plus malins que tout le monde. Ils dirent « How do you do ? » et « Prenez un cigare », et puis ils firent signer à Einstein un contrat de savant fou. Ce contrat assurait l'asile et l'impunité à Einstein ainsi qu'une boîte de haricots rouges et un hot-dog par jour à condition qu'il leur fournisse quotidiennement une invention très marrante (really funny) et qui fasse gagner des dollars à l'autre signataire du contrat.

Einstein versa des larmes de reconnaissance, baisa le sol sacré de l'Amérique et se mit au travail.

Vous ai-je dit qu'il était fourbe ? Il l'était.

Et vindicatif, aussi. Sous couvert de remplir son contrat, il servit en fait ses basses vengeances. Sa première invention fut une bombe absolument géniale destinée à faire de l'Allemagne un énorme trou découpé à pic suivant le tracé des frontières de 1919 et uniformément vitrifié : la bombe atomique. Pourquoi « atomique » ? Oh, eh bien, entre-temps Einstein avait inventé des petits machins tout petits mais excessivement hargneux. Il appelait cela les « atomes ». Ceci est de la science. Passons rapidement.

Cependant, avant que la bombe atomique ne fût tout à fait au point il s'était passé en Allemagne certains épisodes politico-militaires qu'il serait futile d'évoquer ici. Reportez-vous aux journaux de l'époque. Pour résumer, Hitler avait fait valoir ses droits à une retraite anticipée et quand on demandait s'il y avait un nazi dans la salle tout le monde sifflotait en regardant ailleurs. Il n'y avait donc plus tellement urgence à transformer le pays en un trou vitrifié.

Dieu dit : « Ça s'arrose ! »

Et la bombe atomique, alors ? Eh bien, elle était là, toute chromée, très belle. Les militaires de haut grade tournaient autour, l'air gourmand. Fallait-il laisser ces braves gens sur une cruelle déception ? De grosses larmes s'amassaient sous leurs paupières burinées. Le président de l'Amérique avait justement un petit différend à régler avec le Japon, qui est un pays tout jaune, là-bas tout au bout de la carte. Les gens de ce pays ne savaient même pas ce que c'était qu'un Juif, simplement ils n'aimaient pas les Blancs et ce n'était pas leur faute si les Juifs étaient des Blancs, vous me suivez ?

Bien. Le président de l'Amérique demanda à Einstein si sa bombe fonctionnait aussi sur les Jaunes. Einstein fit les réglages qu'il fallait et répondit : « Satisfait ou remboursé ».

Un aviateur emporta la bombe et le Japon fut vitrifié. Ça s'appelle Hiroshima. Einstein fut célèbre. Surtout au Japon, quand ils eurent réussi à fêler la croûte de verre et à sortir quelques moignons.

Vous remarquerez qu'Einstein n'a pas été jeter lui-même en personne la bombe sur la cible. Ce qui fait qu'il put dire, par la suite : « C'est pas moi, c'est lui ! » en montrant du doigt l'aviateur, cependant que l'aviateur disait, en montrant Einstein du doigt : « C'est pas moi, c'est lui ! »

Or, si tout le monde connaît le nom d'Einstein, celui de l'aviateur est complètement ignoré des masses. Vous trouvez ça juste, vous ?

MATA-HARI

ATA-HARI aurait pu être Jeanne d'Arc.
Mais la place était déjà prise. Alors,
elle a choisi d'être Mata-Hari. Jeanne d'Arc a
consacré sa vie à bouter l'Anglois hors de
France. C'est pourquoi on l'a brûlée toute
vivante. On dit à juste titre que c'était une
SAINTE. Retenez ce mot.

Mata-Hari n'a pas bouté l'Anglois hors de
France, oh non. D'abord, l'Anglois était
devenu le Boche, entre-temps. Mata-Hari vendait aux Boches, ennemis héréditaires et san-
guinaires de la France, des renseignements du
plus haut intérêt pour la défense nationale,
renseignements qu'elle soutirait aux officiers
français en profitant de ce qu'ils pensaient à
autre chose. Ceci est lâche et vil. C'est pourquoi
l'on a coutume de flétrir Mata-Hari du vilain
nom d'ESPIONNE. Retenez bien ce mot.

Par quel moyen Mata-Hari soutirait-elle ces
renseignements ? Par le moyen le plus simple :
elle soutirait comme on soutire, en utilisant le
robinet de soutirage situé tout en bas de l'officier. Elle se servait pour cela de sa bouche, de

ses doigts ou de tout autre organe spécialement adapté au soutirage de renseignements militaires dont les espionnes sont fournies au moment de leur entrée en fonctions. Si vous voulez mon avis bien sincère, je vous dirai, avec quelque sévérité mais sans me laisser emporter par la passion, qu'une telle conduite est franchement répugnante. Qu'est-ce qui aurait été une conduite digne de notre admiration fervente ? Eh bien, soutirer des renseignements aux officiers allemands pour les vendre aux Français, par exemple.

Mais ça, ça n'aurait pas été possible. La France n'est pas comme ça. La France ne mange pas de ce pain-là. La France est LOYALE (retenez ce mot). Il n'y a jamais eu en France de service d'espionnage. Jamais. Vous pouvez chercher, il n'existe et n'a existé à aucune époque dans l'armée française une section intitulée « Service de l'Espionnage ». Preuve que la France n'emploie pas d'espions. L'esprit essentiellement franc et ouvert du Français ne pourrait pas se plier à ces félonies. Par contre, il existe dans l'armée française un service du Contre-Espionnage, et qui n'a pas peur de dire son nom haut et clair. Preuve que les étrangers inondent le sol français de leurs espions. Les étrangers sont des salauds qui ne devraient pas vivre s'il y avait une justice. C'est bien pourquoi on les flétrit du vilain nom d'étrangers.

Quand elle dansait...

Mata-Hari était hollandaise. Elle avait donc un accent boche. Les Hollandais ont l'accent boche, ce n'est pas de leur faute et il serait excessif de leur en tenir rigueur, mais c'est un fait, ils ont l'accent boche. Demandez à un Hollandais, il vous le dira : « Z'est frai, ch'ai l'agzent poge ! » Et il éclatera en sanglots. A part ça, ils sont plutôt supportables, pour des étrangers. J'en ai même connu de tout à fait bien, si l'on arrive à oublier la couleur de leur peau : rose à faire vomir.

Avoir l'accent boche semblerait à première vue un handicap pour une espionne opérant sur des officiers français. Mais la difficulté n'était pas pour arrêter une Mata-Hari. Elle releva fièrement le défi, se teignit en brune, se passa du khôl sur les paupières et du vernis à ongles lilas sur le bout des seins, elle mâcha du rahat-loukoum, mit à brûler des pastilles du sérail et échangea son chat pour un petit singe. Elle dit à tout le monde qu'elle était une danseuse exotique et que son accent était celui des îles mystérieuses qui se trouvent là-bas où le soleil fait « Plouf ! » en tombant dans la mer.

— Ach, disait-elle, moi y en a née nadif tes sîles bysdérieuses, là-pas, terrière les gapinets. Moi tantser bour doi afeg ma fendre, et autssi

afeg ma gul. Drès gojon, drès, drès. Doi foir.
Doi panter gomme gojon. Zehr gut. Ja ?

Je vais vous traduire :

— Ô noble guerrier, disait-elle, je suis née
dans les îles mystérieuses, là où fleurissent les
fleurs parfumées du rêve. Je veux pour toi seul,
ô vaillant, danser la danse sacrée du nombril de
Bouddha, et aussi celle du croupion de Brahma.
Ton âme s'y exaltera dans la plénitude de
l'exaltation. Il faut que tu voies cela. En toi
s'éveilleront des énergies inconnues. Je te ferai
un prix. D'accord ?

Naturellement, pas un militaire au monde ne
fût tombé dans un piège aussi grossier. Pas un,
sauf les officiers français. Car les officiers
français sont très BÊTES. Retenez ce mot.

Ce qu'il y a d'amusant avec les espions, c'est
qu'ils se donnent un mal de chien, et risquent
leur peau, et assassinent des tas de gens, tout ça
pour rapporter aux états-majors des renseignements extrêmement précieux, et que ça n'a
jamais servi à rien. Finalement, les guerres se
règlent à coups de canon dans la gueule. Les
plus gros canons gagnent la guerre quand il n'y
a plus de gueules à casser en face, ou quand les
gueules d'en face en ont assez de se faire casser.

Alors, direz-vous, pourquoi entretient-on des
espions ? Pourquoi fusille-t-on les espions ?

Pour, justement, amuser la galerie. Il est bon
que les populations croient que la guerre c'est
l'aventure, les héros de l'ombre, l'œil de verre à

double fond, le cri de la chouette dans le troisième confessionnal à gauche, le poste émetteur caché dans une crotte de nez, cette sorte de choses...

... on lui aurait...

Mata-Hari était une espionne particulièrement peu douée. Ou alors c'était la malchance. Heureusement que, comme je viens de vous l'expliquer, les états-majors ne se laissent pas influencer par les renseignements fournis par les espions.

Mata-Hari, comme danseuse nue, connut un succès éclatant. Elle devint vite la « coqueluche » (en français dans le texte) du Tout-Paris. Elle donnait des récitals de danses sacrées dans des salons très sélects où fréquentaient des officiers en permission (vous ai-je dit que la Grande Guerre battait alors son plein ?). Pour parler franc, elle dansait comme un éléphant de mer privé de nageoires, du strict point de vue artistique. Mais la fascination étrange qu'elle exerçait sur les mâles galonnés était ailleurs : dans sa croupe absolument fabuleuse. A peine ces vastitudes ondulantes commençaient-elles à se mouvoir (même pas en mesure), tous les regards masculins, hypnotisés, ne s'en détachaient plus et ne reflétaient qu'un torturant désir : plonger dans le centre géométrique de l'orbe immense et s'y engloutir corps et biens. Il ne restait plus à la perfide créature qu'à parachever son œuvre démoniaque en entraînant la proie choisie vers un propice « boudoir » (en français dans le texte).

... vendu...

Août 1914. Grâce (croit Mata-Hari) aux renseignements fournis par elle, l'armée allemande déferle sur Paris, coupant au passage les mains des petits garçons que leurs mamans présentent en pleurant à la faucheuse de mains automatique, merveille de la science germanique, tandis que les hussards tête-de-mort violent réglementairement ces mêmes mamans par-derrière. La chute de Paris n'est qu'une question d'heures. Le gouvernement a fui à Bordeaux, laissant se dérouler derrière lui un long ruban de papier-cabinets rose échappé d'une valise. Mata-Hari sent en son cœur s'épanouir une joie mauvaise. Elle tire de sa jarretière l'argent accumulé de ses trahisons, l'argent de la honte, elle descend dans la rue, elle va jusqu'au Champ-de-Mars et achète la Tour Eiffel. Le gardien, un invalide vétéran de la guerre de 1870, encaisse l'argent en pouffant sous cape : la Tour Eiffel ne vaut plus un clou, puisque tout à l'heure les Boches vont la démolir en ricanant de leur ricanement guttural !...

Il n'y a pas de limite à l'abjection : non contente d'avoir livré Paris à l'ennemi, l'espionne décide de lui en faciliter l'entrée. Elle envoie au Kronprinz, commandant en chef de l'armée d'invasion, un message codé sur son petit émetteur sans fil à galène (nouvellement inventé). Par ce message, elle lui indique un raccourci : « Passez par les bords de Marne, il y a des guinguettes, c'est plus chendil. » Car il lui arrivait d'avoir des renvois d'accent boche en écrivant.

Le Kronprinz reçoit le message, croit qu'il s'agit d'un ordre formel de son papa le Kaiser et change aussitôt l'itinéraire de son armée pour passer par la Marne... On connaît la suite.

Paris ne fut pas pris, pas cette fois-là, et Mata-Hari ne put donner tout en haut de la Tour Eiffel la brillante réception dont elle avait déjà fixé tous les détails : le clou de la fête eût été son cul féerique, merveilleusement mis en valeur par des projecteurs de D.C.A. artistiquement colorés. Toute l'armée allemande eût poussé un « Hoch ! » d'extase.

Nullement abattue, l'espionne reprit son immonde travail de sape. Un jour, elle soutira par ses moyens habituels de soutirage un renseignement de toute première importance d'un général très haut placé dans le commandement.

Cette fois, l'état-major allemand ne fut pas dupe. Le message fut soumis au raisonnement suivant :

— Si cette sombre conasse de Mata-Hari nous dit qu'il faut faire comme ceci, aucune hésitation : faisons exactement le contraire. Exécution !

Or, il se trouvait que le général soutiré par Mata-Hari était le plus gâteux de tous les généraux gâteux de l'état-major français. Chaque fois qu'il prenait la parole pour suggérer une idée, c'était l'énorme rigolade. C'est d'ailleurs pourquoi on le laissait parler. Si les Allemands avaient suivi sa suggestion, la France était sur les genoux en quarante-huit heures. Mais ils firent le contraire, se croyant très malins, et ce fut Verdun.

... la patrie...

Cependant, le contre-espionnage français commençait à nourrir quelques soupçons quant aux activités clandestines de la voluptueuse danseuse exotique. Après chacune de ses fameuses exhibitions mondaines si courues, un mystérieux émetteur clandestin faisait tressaillir les galvanomètres ultra-sensibles dissimulés sous les chapeaux hauts de forme des agents du contre-espionnage. A force de recoupements, ceux-ci finirent par localiser l'émetteur dans le pâté de maisons où résidait l'enchanteresse venue des îles mystérieuses de l'Orient. D'autres spécialistes avaient fait d'autres rapprochements troublants : l'un après l'autre, tous les officiers, sous-officiers et hommes de troupe en permission à Paris ou transitant par la capitale étaient frappés par un mal d'abord aussi mystérieux que les îles de l'Orient mais que l'on identifia bientôt comme la syphilis (vulgairement « vérole », ou « grosse chtouille »). Tout cela donnait à penser.

Une expérience décisive s'imposait. Mais il fallait agir avec doigté. Tous reculaient, blêmes, devant la périlleuse mission. Un jeune capitaine se leva, un noble fils de la terre de France. L'œil clair, le menton sans faille, il déclara :

— J'irai.

Il y alla.

Il en revint.

Aussitôt placé au secret absolu dans une chambre stérile et vitrée, il fut le centre de l'attention passionnée des plus éminents savants et des grands chefs du contre-espionnage français. Longtemps, leur attente fut vaine. Soudain, la main du héros se souleva. Tous les yeux retinrent leur souffle. La main s'abaissa. Il se grattait ! Là. Il se grattait LÀ ! L'expérience était décisive. Il ne s'était pas sacrifié pour rien. Il avait attrapé la syphilis (ou « vérole », ou « grosse chtouille »). La preuve était là, irréfutable : cette femme était bien le monstre qui depuis si longtemps minait les forces vives de l'armée française.

Mais la preuve devait se révéler plus éclatante encore ! Le médecin-major qui examinait à la loupe le sexe martyr poussa soudain une exclamation étranglée.

— Qu'est-ce, cria-t-il, que ce truc-là ?

On se précipita. C'était un poste émetteur de télégraphie sans fil fonctionnant par le moyen d'un cristal de galène (sulfure de plomb aux propriétés électromagnétiques intéressantes). Les spécialistes du contre-espionnage le manipulèrent avec précaution. Aussitôt, sous leurs chapeaux hauts de forme, ils sentirent frémir les galvanomètres ultra-sensibles à feuilles d'or.

— Cette fois, plus de doute, s'écrièrent-ils d'une seule voix ! Nous la tenons !

Mata-Hari fut arrêtée séance tenante et condamnée à mort. Elle pleura beaucoup en écoutant la sentence. Elle avait expliqué à l'officier instructeur de son procès qu'elle dissimulait habituellement l'émetteur dans son vagin, bien calé contre le col du fémur (elle voulait dire « de l'utérus », sans doute). C'est pourquoi elle soutirait les renseignements aux officiers subjugués en utilisant uniquement des moyens qui ne mettaient pas en jeu cet orifice naturel. Hélas, le jeune capitaine avait, pour la première fois de sa vie, fait vibrer son cœur. Oubliant toute prudence, elle s'était livrée, sans retenue comme sans pudeur. La pince à linge (bricolage primitif, temps héroïques) qui maintenait le fil chercheur au contact de la galène avait fait le reste...

... sans confession.

Mata-Hari fut fusillée dans les fossés de Vincennes, tandis que « Peau-de-Zébie » remportait l'épreuve de trot à vingt contre un et à cinquante mètres de là.

Mata-Hari avait une excuse : elle faisait ça pour de l'argent.

Le jeune capitaine Ch. de G., remis de ses blessures, connut, par la suite, une honorable carrière.

CHARLES
DE GAULLE

UNE des questions les plus chargées d'angoisse qui, depuis la nuit des temps, se posent, cruelles, à l'esprit torturé des hommes éperdus devant le mystère de l'Univers et celui de leur propre existence, est celle de la poule et de l'œuf. Qui a précédé l'autre ? L'œuf ou la poule ? La poule ou l'œuf ? L'un sort de l'autre, mais l'autre sort de l'un, aussi loin que l'on remonte, aussi loin... Atroce.

Le fabuleux destin de Charles de Gaulle est fondé sur un semblable postulat en forme de « bâton merdeux » (en français dans le texte). En effet, qui a précédé l'autre ? De Gaulle ou Hitler ? Hitler ou de Gaulle ? Mais ici, à peine entrevu, le mystère se dissipe. La réponse est aisée : il suffit de feuilleter d'un doigt négligent les journaux de l'époque. On y constate qu'Adolf Hitler était déjà parvenu à l'apogée de sa carrière fulgurante longtemps avant que la renommée n'effleurât de son aile duveteuse l'obscur petit officier qui s'acheminait tout tranquillement vers les douillettes satisfactions de la retraite.

La conséquence en découle, implacable : la préalable prestation de Hitler fut absolument nécessaire à l'ascension de De Gaulle. Sans Hitler, pas de De Gaulle. Sans poule, pas d'œuf. Sans Judas, pas de Jésus. Il faut bien qu'un type se dévoue. Pour Jésus, c'était Judas. Pour de Gaulle, ce fut Hitler. Il était bon que ceci fût précisé dès le départ. Bien. Nous pouvons y aller.

Si Charles de Gaulle...

Vous ne comprendrez rien si tout d'abord je ne vous explique pas sommairement Hitler. Eh bien, Hitler, dont vous trouverez par ailleurs une biographie détaillée ici ou là dans le présent ouvrage, était, en deux mots, un gars avec une mèche sur l'œil et une petite moustache sous le nez qui avait été chargé d'un boulot.

Il faut vous dire que l'Allemagne — Ah, oui : il était un petit peu allemand, j'allais oublier ! — que, donc, l'Allemagne avait perdu la guerre. Quelle guerre ? Oh, une de ces guerres, vous savez, avec un numéro et des majuscules : la Tantième Mondiale. Peu importe. La France avait trouvé que l'Allemagne avec sa camelote lui fauchait tous les marchés, et vachement crâneuse, en plus, enfin, bref, elle lui faisait de l'ombre, quoi, alors les Français avaient mis

une fleur à leur fusil et ils étaient partis reprendre l'Alsace-Lorraine, il y a toujours une
Alsace-Lorraine à reprendre, un coup chez
l'un, un coup chez l'autre, c'est bien commode,
les Alsace-Lorraine, ça fait qu'on a toujours le
bon droit avec soi.

Bon. Mais la guerre, vous savez ce que c'est,
on la déclare, on lui dit « Jusque-là et pas plus
loin », et puis, une fois lâchée dans la nature,
elle cavale où elle veut, la salope, sur ses petites
pattes pleines de poils, et cours après, toi, gros
malin ! Celle-là, elle a cavalé comme je vais
vous dire. Pendant que les Français et les
Allemands se tapaient sur la gueule suivant les
conventions de Genève, bien en face l'un de
l'autre, un coup c'est toi, un coup c'est moi,
jamais au-dessous de la ceinture, vachement
corrects et tout, voilà que les Bolcheviks font la
Révolution russe et disent : « Prolétaires de
tous les pays, faites comme nous ! »

Alors, là, ça n'allait plus. Plus du tout. C'était
carrément de la triche. Les grands chefs des
Français et ceux des Allemands se sont fait un
clin d'œil par-dessus le tas de cadavres. Ils ont
fait semblant de continuer à se taper sur le
museau pour leurs histoires d'Alsace-Lorraine
et compagnie, à cause des millions de morts qui
n'auraient pas compris de s'être fait écrabouil-
ler pour rien, vous savez comment sont les
morts, alors ils ont bâclé vite fait la fin de cette
guerre-là, et puis on est passé aux choses

sérieuses, qui étaient : barrer la route à ces fumiers de Bolcheviks et si possible leur écraser la gueule. C'est que c'est contagieux, cette saloperie ! Faudrait pas que nos prolétaires à nous se l'attrapent et nous fassent comme les autres arsouilles, là, ont fait à leur tsar.

Et bon, on a fait la paix. C'était une paix comme ça : l'Allemagne est le vaincu (c'était son tour, la fois d'avant c'était la France), on lui reprend l'Alsace-Lorraine (jusqu'à la prochaine fois), on fait semblant d'être très en colère et de la punir sévèrement, mais c'est tout bidon, naturellement, juste pour que les morts n'aient pas l'impression d'être morts pour rien, toujours. On crée tout autour des méchants Bolcheviks une flopée de petits pays hargneux comme tout, en prenant bien soin de donner à chacun un bon morceau de territoire fauché aux Bolcheviks, comme ça ces braves gens ne risquaient pas de faire un jour ami-ami avec ces fumiers. Le « cordon sanitaire », on a appelé ça. Astucieux, vachement.

... s'était appelé...

Mais pendant ce temps-là les ordures de Bolcheviks continuaient à gueuler de toutes leurs forces « Prolétaires de tous les pays, foutez les capitalistes à poil et peignez-leur le cul en rouge ! » Les capitalistes n'aimaient pas, pas du tout, et mettez-vous à leur place.

Alors les capitalistes se sont dit qu'il fallait en finir une bonne fois. Mais qui allait se charger du travail ? C'est que les capitalistes étaient aussi des démocrates, et qu'attaquer des gens simplement parce qu'ils gueulent des choses qu'on n'aime pas n'est pas démocratique, et en plus leurs prolétaires n'auraient pas apprécié, vous savez comment sont les pauvres, il faut faire leur bien malgré eux. C'est ici que les capitalistes eurent une idée. L'Idée.

Il faut vous dire que les Allemands n'étaient pas contents d'avoir perdu la guerre, même si finalement ils n'avaient pas vraiment été punis, mais ça, ils ne le savaient pas, et ils écoutaient un type, ce Hitler, justement, qui leur disait qu'en vrai ils avaient gagné, qu'ils étaient les plus beaux, les plus blonds et les plus hommes de tous les hommes, qu'ils avaient été trahis par des choses noirâtres qu'on trouve sous les vieilles serpillières et qui s'appelaient les « Juifs » (retenez ce mot), des discours comme ça, vous voyez, très réconfortants pour le moral. Les capitalistes du monde entier se clignèrent de l'œil entre eux et se dirent « Voilà notre homme ».

Et bon, ils donnèrent du fric à Hitler, des masses de fric, pour qu'il rentre dans le chou des Bolcheviks. Vous pensez bien qu'il sauta sur l'occasion ! Les capitalistes se frottaient les mains. Hitler, avec leurs sous, se paya une armée allemande formidable, la plus terrible qu'on ait jamais vue, avec des tanks, des avions et des petits « Gott mit uns » sur la boucle du ceinturon. Et il gueulait de plus en plus fort contre les Bolcheviks. Les capitalistes étaient de plus en plus contents. Hitler gueulait en même temps contre les Juifs et les capitalistes, mais les capitalistes clignaient de l'œil et se disaient « Ça, c'est de la frime. Il ne peut pas changer de discours trop brutalement. » Et ils pouffaient derrière leur main à l'idée de la bonne râclée qu'il allait mettre à ces salauds de Bolcheviks !

Alors Hitler s'est mis au boulot. Il a commencé par casser la gueule à deux ou trois de ces petits pays du « cordon sanitaire » qui se trouvaient sur sa route pour aller chez les Bolcheviks. Les capitalistes firent semblant d'être très en colère, mais, une fois la porte fermée et les rideaux tirés, ils sablèrent le champagne. Il ne restait plus que la Pologne entre Hitler et les Bolcheviks. Pas de problème, l'armée allemande entre en Pologne et fout le feu partout, la guerre c'est la guerre, n'est-ce pas, il faut bien que le militaire ait un peu de bon temps. Pour la frime, les capitalistes (qui préféraient qu'on les appelle « les démocraties », c'est plus poli) déclarèrent la guerre à Hitler, tout en lui clignant de l'œil par-dessus la ligne Maginot, une espèce de métro sans métro où les soldats jouaient à la belote en buvant du vin chaud. Hitler dévora la Pologne d'une seule bouchée, et puis rota un bon coup. Les démocraties (soyons poli) trépignaient. « Maintenant, se dirent-elles, il va se goinfrer ces affreux Bolcheviks ! » et elles s'assirent bien confortablement dans leurs fauteuils avec du pop-corn pour ne rien manquer du spectacle.

Seulement, voilà : Hitler adorait faire des farces. Au lieu de casser la gueule aux Bolcheviks, il cassa la gueule aux Français. Ça, ça n'était pas prévu, ça. Les démocraties pensèrent d'abord qu'il s'était trompé de côté, ce sont des choses qui arrivent. Mais pas du tout ! Il prit la Tour Eiffel dans ses bras et, avec un rire démoniaque, il s'écria « C'est à moi, ça ! »

La première surprise passée, on lui pardonna. Il était un peu taquin, d'accord, mais au fond c'était un bon petit. Il finirait bien par aller casser la gueule aux Bolcheviks, c'était le principal. On profita de l'occasion pour foutre la République en l'air et on mit à la place un pauvre vieux maréchal gâteux qu'on avait été récupérer à l'hospice et qui avait toute sa vie rêvé de prendre la place de la République.

Cependant Hitler brûlait tranquillement tous les Juifs, tous les plus ou moins bronzés et tous les copains des Bolcheviks qu'il y avait en France. A se demander s'il avait vraiment bien compris. Et voilà maintenant qu'il attaquait les Anglais ! Bien emmerdés, les Anglais. Ils avaient beau faire des signes à Hitler par-dessus la Manche « Par là ! Par là ! » en montrant l'Est, le petit espiègle les bombardait à tout va et riait de tout son cœur. Quand je vous le disais : la guerre, ça va vraiment où ça veut.

Les Français cependant s'accommodaient de la présence des Allemands. Après tout, ils étaient très corrects. Il suffisait d'être ni Juif, ni trop brun, ni Bolchevik. Normal, quoi. Les Allemands n'aimaient pas les anormaux, c'est plutôt une preuve de goût. Et ils avaient la prévenance de les brûler au diable vauvert, afin que la fumée n'incommodât pas les honnêtes gens.

— Dis !

— Oui ?

— C'est l'histoire de De Gaulle que tu nous as promise.

— Patience, il arrive. Justement, le voilà.

... Charles de Boche...

La première remarque qui s'impose à l'esprit quand on étudie l'attitude de Charles de Gaulle en ces circonstances, c'est qu'il avait compris tout de travers. Au lieu de se sauver, il s'était battu. Au lieu de dire « Maréchal, me voilà ! » et de recevoir un sucre, il avait foutu le camp. Où ça ? A Londres. Or, l'Angleterre n'était plus une colonie française, de Gaulle aurait dû le savoir. Mais voilà, il était très ignare en histoire de France et, comme il était aussi très orgueilleux, il ne voulait pas en convenir. Pour l'Angleterre, il en était resté à Guillaume le Conquérant...

En posant le pied sur le sol britannique, il dit :

— Hitler est un cochon. En rang par deux. A mon commandement, en avant... marche !

Le roi d'Angleterre fut un peu surpris. Il répondit, avec cet accent que le monde entier leur envie :

— Ce Hitler n'est certainement pas un gentleman, je dis. Vous portez un étrange chapeau, ne portez-vous pas ? Il doit être un chapeau de français militaire, n'est-il pas ? Pour ce qui concerne les militaires affaires, vous devriez peut-être adresser vous à mon guerrier ministre, Mister Churchill, duc de Marlborough, je me permets de suggérer.

De Gaulle alla trouver Churchill. Churchill était déjà bien emmerdé avec ce petit voyou de Hitler qui mordait la main qui l'avait nourri, et voilà maintenant ce Français qui avait l'air de porter sa tête au bout d'une pique ! De Gaulle ne perdit pas de temps en vain verbiage.

— La France, dit-il, a perdu une bataille. Elle n'a pas perdu la guerre...

— Tûtût... dit Churchill.

Churchill voulait gagner sa guerre tout seul. Pas question de la partager avec cet escogriffe à képi. De toute façon, il était paré : s'il la perdait, la guerre, ce serait la faute des Français, qui s'étaient sauvés comme des lapins. Les Français avaient joué leur rôle, bon, on n'avait plus besoin d'eux. Mais Churchill était bien élevé, un vrai gentleman, il se força à sourire et logea de Gaulle dans la niche du chien (un bulldog, vous pensez bien) et mit le chien devant pour l'empêcher de sortir. Le chien, méchant de nature, l'était encore plus contre de Gaulle, qui lui avait fauché sa niche.

De Gaulle était fort mal, dans la niche. Accroupi, ses genoux lui entraient dans les narines. Alors, il se mit debout. Debout, la niche lui faisait un chapeau, il avait l'air de Napoléon. Il demanda à son ordonnance :

— Quel jour sommes-nous ?

— Le 18 juin, mon général.

— Très bien. Je vais lancer l'appel du 18 juin.

Il toussa « Hm, hm... » pour attirer l'attention. Les Anglais écoutèrent. Il faut vous dire que le 18 juin est une grande fête nationale, en Angleterre : l'anniversaire de Waterloo. Vous pouvez vérifier. Waterloo, 18 juin 1815. Ce jour-là, on habille un clochard en Napoléon et les petits enfants lui jettent à la figure des pommes cuites, des œufs pourris et mille autres choses amusantes.

Quand de Gaulle s'avança, sa niche sur la tête, son long nez dépassant, réclamant « Un micro ! », les pommes cuites se mirent à pleuvoir. Alors, il ôta la niche. Mais son nez fabuleux demeurait. Du coup, on le prit pour Jeanne d'Arc, car les Anglais, qui n'aiment pas, mais alors, là, pas du tout, Jeanne d'Arc, la représentent toujours très laide, avec un très très long nez de sorcière. Tout joyeux, ils entourèrent notre héros et voulurent le brûler. Le combat pour la Liberté s'engageait mal.

... ça n'aurait pas pu marcher, son truc !

Abrégeons. De Gaulle eut son micro. Il parla aux Français. Il eut un succès mitigé. Chaque fois qu'un ménage français captait sa voix sur la B.B.C., aussitôt la Gestapo fusillait tout le monde et affichait les noms sur les murs. Ça fait qu'en comptant les noms des fusillés on obtenait l'indice d'écoute (en anglais : « audimat »). De Gaulle est donc l'inventeur de l'audimat, on ne peut pas lui retirer ça.

De Gaulle n'était pas toujours très courtois. Il disait, par exemple : « Pétain est un vieux traître. » Pétain lui répondait : « Je ne vous connais pas, voyou ! Et d'abord, je vous condamne à mort, na ! Gendarmes, allez me le chercher et qu'on me guillotine ça vite fait. » Mais les gendarmes avaient autre chose à faire, ils traquaient les résistants et les Juifs pour les offrir à la Gestapo, on ne peut pas être partout à la fois.

De Gaulle luttait pour que les Juifs soient des hommes comme les autres. Drôle d'idée. Heureusement, il n'était pas juif, sans quoi on ne l'aurait pas laissé faire.

Abrégeons, abrégeons. De Gaulle, par sa ténacité, a gagné la guerre. Il a libéré la France, la Belgique, la Hollande, l'Italie, la Pologne et même, tiens, pas chien, la Bolchevie, et encore, sur son élan, l'Allemagne. Dans sa modestie, il a permis à Churchill, à Roosevelt et à Staline de signer l'armistice après lui, au bas de la page, en tout petit. Et puis il est allé déposer une gerbe sur la tombe du Soldat Inconnu, le même Inconnu sur la tombe duquel Hitler déposait une gerbe chaque fois qu'il remportait une victoire contre un peuple sans défense. On aurait dû changer l'Inconnu, celui-là était un peu souillé, mais les symboles, vous savez ce que c'est, ça va ça vient, et bon, on n'avait pas le temps de s'en trier un autre, alors on garda celui-là, ça fit la rue Michel.

Après ça, de Gaulle descendit les Champs-Elysées. Comme les Allemands quatre ans plus tôt, oui. Vous me direz qu'il aurait pu les prendre dans l'autre sens, ne serait-ce que pour ne pas avoir l'air de copier sur l'ennemi et bien marquer l'inconciliable antagonisme entre une sanglante dictature et une pimpante démocratie, seulement, dans l'autre sens, ça monte, et, à Malraux, son âme damnée, qui lui faisait respectueusement remarquer tout ça, il répondit, avec cette verdeur toute militaire qui avait su séduire les parents de sa fiancée :

— Malraux, mon petit, adressez-vous à mon cul, j'ai les pieds plats.

A partir de là, le reste n'est qu'enfilade d'anecdotes. Il fallut retrousser ses manches et s'y mettre. Avant tout, nettoyer l'Alsace-Lorraine. Les Allemands avaient chié partout, après chaque guerre c'est la même chose, soit dans un sens, soit dans l'autre. Les Alsacelorrains nettoyèrent tout bien à fond, peignirent les cigognes en bleu-blanc-rouge et accueillirent l'armée française avec des larmes de joie. Les Français mirent les cigognes à la broche et chièrent partout, mais c'étaient des cacas d'une jolie couleur mauve due au gros rouge de l'ordinaire.

Je ne vais pas vous raconter comment de Gaulle devint roi de France, puis se vexa et s'en alla bouder pendant douze ans, puis redevint roi de France par un tour de passe-passe où l'aidèrent quelques militaires à qui il avait promis l'Algérie, puis sodomisa ces mêmes militaires profondément et douloureusement, puis se fit conspuer par les étudiants en 68, puis bouda encore un coup pour attendrir les masses ingrates, puis s'endormit de son, comme on se plaît à dire, dernier sommeil, sans savoir si cette dernière ruse avait pris.

Voilà. Ça doit être à peu près tout. Ce que je n'ai pas dit ici, c'est que ça n'en valait pas la peine.

WALT DISNEY

Si une souris n'avait pas mordu le petit Walt, serait-il devenu le grand Disney? Qu'il nous soit ici permis d'en douter.

Lorsque commence cette histoire véridique et pleine d'enseignements de toute sorte, Walt Disney a sept ans. C'est un enfant très moyennement précoce. Il sait marcher, certes, mais à quatre pattes et seulement si on lui promet un chewing-gum. Justement, il est en train de se propulser sur le tapis de la salle de séjour par ce moyen tellement naturel et spontané que toutes les créatures vivantes munies de quatre membres ou davantage l'ont adopté dans l'enthousiasme. Seuls le kangourou, l'hippocampe, l'homo sapiens et l'ours en peluche s'obstinent, par l'effet d'un sot orgueil, à contrarier la nature et obligent, les cruels, leur tendre progéniture à se mouvoir en position verticale par le seul jeu de ses membres postérieurs — de ce fait devenus « inférieurs » —, mode de propulsion acrobatique dont l'acquisition de la maîtrise monopolise les facultés tant physiques qu'intellectuelles de l'enfant à un âge où elles pourraient être plus profitablement consacrées à des activités hautement formatrices, par exemple à pratiquer la fellation sur des chauffeurs de poids-lourds pour venir en aide à leurs chers parents. Pourquoi, alors, la maman du petit Walt, Madame Disney, n'impose-t-elle pas à son bambin la règle commune ? Parce qu'elle a autre chose à faire, probablement. Quoi donc ? Eh bien, suivons le petit Walt, peut-être nous conduira-t-il vers la solution de cette énigme… Il se déplace très vite, c'est l'heure de son chewing-gum de quatre heures, son petit estomac crie famine. Le voici parvenu devant la chambre de sa chère maman. Elle est là, il entend du bruit. Il frappe la porte de son petit poing. Sa maman ne répond pas. Elle n'a pas entendu. La poignée de la porte est trop haut placée pour la petite main d'un enfant à quatre pattes, le trou de la serrure trop haut pour son petit œil. Mais de la lumière se glisse sous la porte, à ras du plancher. Walt, en un éclair de génie, écrase sa joue droite au sol de façon à ce que l'œil qu'il a du même côté puisse coulisser un regard aplati par cet étroit interstice. Il ne jouit ainsi, bien évidemment, que d'un champ de vision extrêmement limité. En fait, il discerne une certaine surface de parquet, et sur ce parquet une paire de souliers : les souliers de sa maman. Mais, chose curieuse, les pieds de sa maman ne sont pas dans les souliers. Les jambes de sa maman ne sont pas non plus dans la jupe de sa maman, qui gît là, par terre, à côté des souliers, toute chiffonnée. Et les seins de sa maman non plus ne sont pas dans le soutien-gorge de sa maman, et les fesses de sa maman ne sont pas dans la culotte de sa maman, tout cela gît par terre, vide, et plutôt en désordre. Ça, alors !

Il a peur d'une souris, ...

Le petit Walt, dans sa jeune tête d'enfant médiocrement précoce, remue ces choses et ne comprend rien du tout. C'est la première fois qu'il voit les affaires de sa maman sans sa maman dedans. Il prend alors conscience de ce que sa maman n'a pas cessé de parler pendant tout ce temps. Il se dit qu'en écoutant ce qu'elle dit il comprendra peut-être. Il écoute donc. Voici ce qu'il entend :

VOIX DE MAMAN

— Ah, Mickey ! Ah, Mickey ! Ah, mon Mickey ! Ah, mon gros Mickey ! Mon gros terrible énorme gros Mickey ! Oui, oui, c'est ça ! Vas-y, Mickey, n'aie pas peur, enfonce, enfonce ! Défonce ! Défonce-moi ! Eclate-moi ! Ah, oui ! Ah, c'est bon ! Encore ! Ah, Mickey ! Ah, Mickey ! Mickey-Mickey-Mickey-Mickey-Mickey-Miiiii...key !

Il y eut ensuite des bruits bizarres et très violents, et puis un silence, et puis une grosse vilaine voix nasillarde que Walt ne connaissait pas et qui disait :

GROSSE VILAINE VOIX

— Je m'appelle pas Mickey. Je m'appelle Donald.

Toutes ces choses étaient fort curieuses, mais Walt comprenait de moins en moins. Il se dit « Je donne mon nez à la souris ! » (équivalent américain pour « Je donne ma langue au chat ») et hop, la sourit le prit. Parfaitement. Le prit. Son nez. La souris. Etonnez-vous tant que vous voudrez, traitez-moi de menteur si vous l'osez, vous ne pourrez rien contre ce fait historique : une souris dont le trou d'accès à son domicile sous le parquet se trouvait obstrué depuis un bon moment par le nez du petit Walt perdit patience et, dans le dessein de faire décamper le propriétaire de l'encombrant appendice, mordit dedans de toute la force de ses petites dents affûtées propulsées par ses vaillantes petites mâchoires de rongeur syndiqué.

L'enfant vit la souris, mais trop tard. Il poussa un affreux hurlement suivi de toute une série d'autres, ce qui eut pour effet de déclencher de l'autre côté de la porte un certain remue-ménage étouffé accompagné de chuchotements :

— Ciel, mon mari ! (Sky, my husband !)

— Mais t'es pas mariée ! (But you are not married !)

— Tu crois ? Alors, qui est-ce ?

— C'est une voix de gosse. T'as un gosse ?

— Ai-je un gosse ? Il me semble bien. Ciel, mon enfant ! (Sky, my baby !) Vite, Mickey, passe par la fenêtre ! Vite, mon Mickey ! A ce soir, mon Mickey ! Repose-toi bien, mon gros Mickey !

— Je m'appelle pas Mickey, je m'appelle Donald.

Surexcitée par la souffrance, l'ouïe du petit Walt entendait tout cela malgré l'épaisseur de la porte, et son inconscient l'enregistrait. Sa maman jaillit enfin en criant tendrement « As-tu appris tes verbes irréguliers ? » et elle voulut le prendre dans ses bras pour le consoler, mais Walt ne la reconnut pas, il n'avait encore jamais vu sa maman toute nue, ni aucune autre maman, d'ailleurs, alors il se jeta sur la jupe et le corsage de sa maman, par terre, et il s'y blottit, et il fut consolé.

... elle se change...

Cet épisode dramatique agit en profondeur sur la sensibilité de l'enfant et devait marquer la personnalité future de Walt Disney d'une indélébile et maléfique empreinte. Il eut à tout jamais une terreur des souris qui se changea bientôt en une haine sanglante, laquelle qui devait s'étendre à tous les animaux. Il revivait en rêve l'aventure terrifiante et pour lui incompréhensible, se réveillait en sursaut au moment où la souris lui mordait le nez, et alors il sautait à bas de son petit lit pour courir droit devant lui. Un matin, il surgit ainsi dans la basse-cour, ses petites fesses à l'air. Un canard gourmand prit son petit appendice rose pour un escargot et, d'un coup de bec, le happa. L'enfant eut très mal. De ce jour, les mots mystérieux « Mickey » et « Donald » furent dans son inconscient inextricablement liés à la méchante souris et au vilain canard. Hanté par ses cauchemars, l'enfant sans cesse dessinait des souris. Il les haïssait, il les voulait laides, monstrueuses. Il y parvenait d'autant mieux qu'il dessinait comme un cochon. Ayant appris à se servir d'une règle, il essaya de dessiner ses souris à l'aide de cet instrument. Le résultat ne le satisfit qu'à moitié. Un jour, en classe de géométrie élémentaire, on lui apprit à tracer des ronds à l'aide du compas. Ce fut le coup de foudre. Walt Disney avait enfin trouvé son véritable moyen d'expression. L'alliance de Walt Disney et du compas devait révolutionner l'art moderne et ridiculiser Picasso, les Impressionnistes, les Surréalistes, Michel-Ange et, de façon générale, tous les efforts déployés depuis l'aube des temps pour salir une surface propre avec de l'encre et des pinceaux. Faire un croquis d'après nature en utilisant exclusivement un compas n'est certes pas à la portée de tout le monde. Le jeune Walt passait le plus clair de son temps à plat ventre devant des trous de souris, guettant le moment, bref comme l'éclair, où la petite bête, d'un bond, traversait son champ visuel pour, en trois coups de compas, la saisir au vol dans sa saisissante vérité. Ainsi naquit la fameuse souris Mickey Mouse, dont tous les traits sont des arcs de cercle parfaits, le coup de génie suprême résidant dans les deux oreilles en forme de ronds à bière. La hideur de cette créature était telle que le pasteur de la paroisse, l'ayant aperçue, devint tout pâle et se jura de ne plus mettre de scotch dans sa soupe aux choux du matin. Et puis cet ecclésiastique pensa que cette monstruosité pourrait servir utilement à faire peur aux petits enfants en leur montrant comme on devient vilain quand on n'est pas sage. Il connaissait des gens dans le cinéma. Le dessin animé faisait alors ses premiers pas. C'est ainsi que Mickey Mouse apparut bientôt sur les écrans. Mais les enfants américains étaient beaucoup plus dépravés encore que ne le croyait le bon pasteur. Tandis que leurs parents hurlaient de terreur et couraient se cacher dans les toilettes, les enfants firent un triomphe à ce parfait chef-d'œuvre de laideur et de mauvais goût. Ainsi commença la fulgurante carrière de Mickey

Mouse, et donc celle de son créateur, Walt Disney.

Après Mickey, Walt Disney créa Donald le canard. Il lui donna la grosse vilaine voix nasillarde de la Terrible Nuit. Et puis, toujours au compas exclusivement, il donna vie à Pluto, aux Trois Petits Cochons, à Dumbo, à Blanche Neige et aux Sept Nains... Autant de triomphes, autant de personnages dont l'image s'imposa au monde entier, symbolisa pour le monde entier l'Amérique, le Progrès et la Modernité.

... en Rolls-Royce !

Les sociologues et les psychologues se sont penchés avidement sur le cas Mickey Mouse. Ils ont noté plusieurs choses, à leur avis révélatrices. Tout d'abord, l'absence absolue de toute manifestation de la reproduction. Mickey, Donald et les autres êtres vivants de la planète Walt Disney ne se reproduisent pas. Ils ne se marient ni ne s'accouplent. Ils n'ont pas d'enfants. Mickey a une « fiancée », Minnie, dont il doit être considéré comme sentimentalement épris puisque l'on voit parfois, autour de sa tête, éclore une fugitive floraison de petits cœurs stylisés, signe qui, dans le langage international officiel de la bande dessinée, annonce que le personnage concerné éprouve un élan amoureux. Mais jamais il n'est question de mariage, même après plus d'un demi-siècle de marivaudage.

La mêmc observation vaut pour Donald le canard et sa Daisy. Il semble que la continuité des espèces soit assurée par la voie de neveux et de nièces, généralement au nombre de trois et toujours jumeaux. Où, comment sont conçus ces neveux et ces nièces ? Mystère. Nul doute, disent les spécialistes, qu'il ne faille voir là le reflet de l'horreur du sexe de Walt Disney lui-même, traumatisé par la Terrible Nuit et, peut-être aussi, définitivement privé de l'organe de la virilité par le coup de bec du canard gourmand. Seule l'autopsie eût pu nous fixer quant à ce dernier point, or ses héritiers — trois neveux étonnamment ressemblants — s'y opposèrent formellement.

Des esprits chagrins ont attiré l'attention sur le fait que Mickey, Donald, Picsou et les autres « héros » disneyiens se conduisent en horribles petits Blancs américains du modèle le plus standard, bornés, conformes, arrivistes, n'ayant qu'un idéal : lc fric, et qu'une peur : l'originalité. Ces gens montrent par là même qu'ils n'ont rien compris. Les personnages de Walt Disney préparent magnifiquement les jeunes aux réalités du monde où ils vont bientôt tenir leur place. Aucun terroriste ne peut prétendre avoir puisé son esprit de révolte dans les dessins ou les films de Walt Disney. Par contre, que lisent les C.R.S., vaillants défenseurs de l'ordre, pendant les interminables heures où, accroupis dans leurs cars blindés, ils attendent que vienne le moment de cogner ? « Le Journal de Mickey », eh oui !

De même, l'épouvantable vulgarité des personnages tracés au compas, le sentimentalisme cucul, tout cela prépare les futurs adultes à la laideur tout à la fois violemment agressive et lourdement flatte-cul qui sera celle des lieux et des objets qui formeront le décor de leur vie. En conclusion : Walt Disney serait-il un bienfaiteur de l'humanité ? Peut-être. Mais il ne l'a pas fait exprès.

CUVIER

Comme imposteur, on trouverait difficilement mieux que Cuvier (Georges, Frédéric, Léopold, Chrétien, Dagobert) (1769-1832). Son nom seul me plonge dans un état de fureur homicide qui me ravale plus bas que la bête. Réaction nettement exagérée, mais, que voulez-vous, on ne se refait pas.

En quoi consistait donc l'imposture de ce salaud de Cuvier ? En ceci :

Cuvier avait un jour trouvé un os. Vous trouvez un os, ou bien c'est moi, que faites-vous ? Que fais-je ? Nous regardons attentivement s'il ne reste pas un peu de bon à manger après, nous le raclons avec nos dents, nous fouillons du bout de notre langue taillée en pointe ces petits creux tout profonds qu'il y a sur les os et puis, bien convaincus que, ainsi que nous en avions l'intuition, quelque chien errant, quelque chat famélique, ou peut-être quelque asticot affamé est passé avant nous et que, donc, il n'y a vraiment plus rien à racler sur cet os, nous le jetons. C'est pourquoi l'on se plaît à

dire que vous et moi sommes des personnes normales. Bien.

Soyez maintenant très attentifs, je vous prie, ça devient assez difficile à suivre quand on n'est pas du métier.

Donnez-moi un os...

Georges Cuvier, ce Georges Cuvier dont nous nous occupons présentement, c'est cela même, trouve un os. Un gros os. Il le ramasse, il le regarde attentivement, comme vous et moi, oui, jusque-là rien à dire, très très attentivement, bien plus attentivement que nous, ah ah, vous voyez, déjà ça bifurque, ensuite, voyez, voyez, il ne se fait pas la langue pointue pointue pour farfouiller dans les recoins, je vous demande un peu, ce qu'il leur faudrait c'est une bonne guerre, et puis, et puis, alors là, complètement aberrant : il ne le jette pas. L'os. Il ne le jette pas. Eh, bien...

Cramponnez-vous, vous n'avez encore rien vu. Ce Cuvier, donc, pose maintenant l'os par terre, sur du sable bien lisse et un peu mouillé — ça, c'est s'il se trouve au bord de la mer, en vacances, par exemple — ou bien il l'appuie d'une main contre un mur vertical et très propre, autant que possible un mur qui ne lui appartient pas, et alors, regardez bien, avec son doigt si c'est sur le sable, avec un bout de charbon de bois si c'est contre le mur, il dessine l'os, il suit soigneusement tout autour, c'est ça, et voilà, quand il a fait le tour, il ôte l'os, et il reste le dessin d'un os. Ça, alors !

Mais attends, attends ! Il y a le dessin de l'os, là, devant lui, et il regarde ce dessin d'os, mais il le regarde avec des yeux tout drôles. Ses yeux ont l'air de regarder sur le sable, ou sur le mur, ça dépend de s'il s'agit de l'hypothèse I ou de l'hypothèse II, mais c'est comme s'ils voyaient en même temps autre chose, une chose qui se trouverait dans le dedans de sa tête, je ne sais pas si je me fais bien comprendre. Il parle tout seul, il gesticule, il se gratte le pubis sans penser que quelqu'un pourrait le voir, il se mange les crottes du nez, il a les yeux brillants, il bave un peu sur le côté de la bouche. Il n'est pourtant pas malade, il a même l'air plutôt content, il lui prend des petits rires, des petits rires idiots, certes, mais chacun rit comme il peut.

Et tout à coup voilà que, paf, il dessine un os au bout du premier os, mais sans tourner autour d'un modèle, cette fois, non non, comme ça, « de chic », comme disent les Français. Et au bout de ce deuxième os, pif paf, il dessine un troisième os, et encore un autre au bout de celui-là, et encore, et encore… Tout un sacré tas d'os. Et à un bout de ce tas il dessine deux grandes cornes pour faire joli, et à l'autre bout une petite queue, assez ridicule, si vous voulez mon avis, et puis des espèces de grosses griffes par-ci par-là. Il se recule, il penche la tête à droite à gauche en plissant les yeux, bon, ça va, c'est juste comme il voulait.

Et puis il écrit dessous, en belles lettres majuscules qui font vraiment sérieux : « MEGATHERIUM. » Il réfléchit un moment dans sa tête, il compte sur ses doigts, on voit bien qu'il essaie de se rappeler quelque chose de difficile, il dit tout haut « Rosa, rosae, rosam... », arrivé là il ne se rappelle plus, alors il hausse les épaules et il écrit, à la suite de « MEGATHERIUM » : « CUVIERII. » « Megatherium Cuvierii », ça veut dire que c'est lui, Cuvier Georges, qui a inventé ce machin.

Il dit à sa fidèle vieille nourrice de veiller à ce qu'aucun galopin ne vienne saloper son beau dessin, et il s'en va à Paris, c'est là que sont les grands savants, il leur dit venez voir un peu ce que je viens d'avoir l'idée de, un pas décisif pour la Science, vous m'en direz des nouvelles, les savants accourent, ça n'a que ça à foutre toute la sainte journée, c'est même payé pour, et alors Cuvier leur montre l'os, et puis il leur montre son dessin, et il dit avec une grande modestie parfaitement feinte :

— Voilà. Grâce à ma fulgurante intuition et à mes patients travaux, nous sommes aujourd'hui en mesure de déterminer à quel animal appartenait cet os. Cet animal s'appelait comme c'est écrit dessous, il était très grand, vraiment énorme, comme vous pouvez le constater. Cette espèce a aujourd'hui disparu, ce qui est pour moi un grand chagrin, ce sont toujours les meilleurs qui s'en vont. Nous avons cependant beaucoup de chance, car cet os est le dernier os ayant encore forme d'os du dernier Megatherium Cuvierii qui ait vécu sur cette terre, il y a de cela tant et tant de millions de milliasses d'années, vous pensez quel pot j'ai eu, passez-moi l'expression, et que ce soit tombé justement sur moi, Georges Cuvier, imaginez seulement si c'était l'un d'entre vous, pauvres andouilles, qui l'ait trouvé, quelle catastrophe pour la Science, et patati et patata...

...pris au hasard...

Vous voyez, ce Cuvier, quel culot !
Les savants regardèrent attentivement, et puis ils se dirent entre eux :
— Quel culot !
Ce qui prouve bien qu'ils ne sont pas tous aussi bêtes qu'on pourrait croire. Seulement, tout de suite après, certains savants, qui étaient encore un tout petit peu moins bêtes, se dirent, mais cette fois chacun pour soi tout seul dans sa tête à soi :
— Hé, hé...
Ce qui donne à penser. N'ayez crainte, je suis

là. Penser, c'est comme pour escalader l'Eve-
rest : il faut s'encorder et bien suivre le guide.
Ecoutez voir.

Quand les savants se dirent entre eux « Quel
culot ! », avec un point d'exclamation, cela
signifie qu'ils avaient compris que Cuvier était
un vil imposteur et qu'eux, honnêtes savants,
sentaient la colère leur monter au nez.

Quand ensuite certains d'entre eux se dirent à
eux-mêmes « Hé, hé... » avec des points de
suspension, cela signifie que, second mouvement, ils trouvaient que cette imposture-là
présentait, à bien la regarder, un petit je ne sais
quoi d'esthétiquement satisfaisant en tant
qu'imposture, un petit côté travail bien fait,
finition soignée, qui forçait la sympathie en
dépit de l'intention morale absolument répugnante de la chose en elle-même, et que, bon,
bref, tout bien considéré, rien ne pressait,
l'hypothèse était certes hardie mais valait néanmoins d'être examinée bien à fond avant qu'on
ne la rejetât, en cela réside la souveraine
noblesse de la Science et sa transcendante
impartialité, d'ailleurs philosopher à jeun serait
peu louable, mes chers collègues je propose que
nous allions grignoter quelque poularde et
caresser quelques flacons dedans ceste auberge
champestre dont j'aperçois le toit de chaume
par-delà ces frais ombrages, nous reprendrons
ensuite nos travaux à tête reposée et panse bien
lestée, l'infâme Cuvier aussitôt dit : « Vous êtes

mes invités, ô mes illustres et très savants maîtres ! », ainsi firent-ils, et puis, vous savez ce que c'est, au dessert ils chantèrent des chansons scientifiques avec beaucoup de mots techniques, et ils étaient un peu trop fatigués pour discuter, alors chacun rentra dans son laboratoire, non sans avoir auparavant consacré quelques instants à la méditation sur la paille de l'écurie en compagnie de la servante de l'auberge, c'est pourquoi six savants français et non des moindres durent par la suite expliquer à leurs épouses comme quoi ils avaient attrapé cette épouvantable chaude-pisse sur des cornues mal rincées, et un septième ne sut pas quoi dire car lui c'est un coup de sabot de cheval qu'il avait attrapé, en plein dans les testicules, ce qui est fort douloureux, mais que voulez-vous il n'aimait pas passer dans un sexe derrière ses collègues, à cause de l'hygiène, qu'il disait, on se demande où il allait chercher des mots pareils, l'imposteur Pasteur n'avait pas encore inventé les microbes, disons plutôt que la jument avait de si beaux cils, ce sera plus franc, et aussi un cul qui lui rappelait celui de sa maman quand elle pissait debout bien qu'il eût honte de se l'avouer car l'imposteur Freud n'avait pas encore inventé l'œdipe, enfin, bref, un fer à cheval dans les couilles, ça fait mal et ça laisse des marques caractéristiques encore plus difficiles à expliquer qu'une chaude-pisse quoique ce soit moins contagieux.

...et je vous fais...

Ne nous étonnons plus si Cuvier reçut la Légion d'Honneur et beaucoup d'autres médailles de moindre importance quoique souvent fort jolies aussi, et s'il devint tellement célèbre que son nom est encore enseigné aujourd'hui dans les écoles aux pauvres petits enfants sans défense.

Il vint à Paris, rêve de tous les imposteurs, et là il ouvrit une baraque à la décoration criarde où il lançait ce défi à l'honorable assistance :

— Donnez-moi n'importe quel bout d'os, je vous reconstitue la bête.

Naturellement, il obtenait un beau succès auprès de la foule crédule. Un jour, on lui apporta un chapeau d'une forme absolument bizarre. Il l'appliqua contre son tableau noir (il s'était acheté un tableau noir et de la craie) et, suivant sa méthode habituelle, il dessina l'objet, puis le prolongea. On vit apparaître peu à peu un être monstrueux qu'il nomma un « NAPOLEON PREMIER ». Il expliqua avec beaucoup d'éloquence la morphologie et les mœurs de cette créature disparue, et rencontra un tel succès que, de nos jours encore, il existe des gens pour croire que ce « napoléon » a réellement existé.

Pendant ce temps, les autres savants, ayant

compris le truc, vous pensez bien, choisissaient eux aussi la voie malhonnête mais glorieuse de l'imposture. On vit de partout à la fois surgir, reconstituées à partir d'un os de pot-au-feu, ces grosses bêtes terrifiantes que personne n'a jamais vues et qui font de si belles pages en couleurs dans les encyclopédies qui envahissent les modestes logements de nos H.L.M. et dont les traites conduisent à la ruine et au suicide tant de pères de famille qui auraient mieux fait de boire les sous au bistrot comme c'était leur première idée.

... une lampe de chevet !

Il faut que la vérité soit faite ! Toute la vérité !

Le mégathérium n'a jamais existé, pas plus que le diplodocus, le brontosaure, le tyrannosaure, le harengosaure et tous les prétendus dinosaures. On s'est assez moqué de nous. Ça suffit !

N'a-t-on pas vu récemment, encouragés par l'impunité dont jouissent les Cuvier et compagnie, des imposteurs prétendre reconstituer, à partir d'une simple casquette un peu brûlée sur les bords, un animal qu'ils nomment un « ADOLFHITLER » et dont ils détaillent complaisamment le pelage, la vie, les mœurs et même ce qu'il préférait comme dessert (c'était les œufs à la neige)! Ces charlatans éhontés ne sont-ils pas allés jusqu'à nous préciser comment l'animal se chauffait (ceci « reconstitué » d'après trois dents en or et un morceau de tissu jaune de forme vaguement stellaire)!

Là, ils sont allés trop loin. L'outrance même de ces excès suscite aujourd'hui un vigoureux mouvement d'assainissement chez les savants honnêtes (il y en a, si, si!). L'existence de ce prétendu « adolfhitler » est d'ores et déjà victorieusement battue en brèche, ainsi que ses faits et gestes, et ce sera bientôt comme s'il n'en avait jamais été parlé.

La reconquête de la Science est commencée.

MADAME
DE SÉVIGNÉ

L E cas de la marquise de Sévigné constitue sans aucun doute le plus fantastique exemple d'imposture de tous les siècles. En effet, cette dame se rendit universellement célèbre en écrivant d'innombrables lettres à une époque où la poste n'était pas encore inventée !

Imagine-t-on une époque sans poste, et donc sans facteur ? Essayez. Voyez-vous tous ces auteurs de lettres anonymes obligés de ravaler leur venin et finissant par en crever dans d'épouvantables souffrances ? Insoutenable. Il faut pourtant bien qu'il y ait eu une époque comme ça... Nous en sommes sortis, heureusement.

Elle connaissait...

A quel moment cessa-t-il de ne pas y avoir de poste et commença-t-il à y en avoir une ? Voilà. Justement. Vous avez mis le doigt dessus. A quel moment, eh ?... Tout ce qu'on peut dire, c'est qu'Adam et Eve ne connurent pas la poste. Absolument certain. L'Écriture dit qu'il y avait Adam, et puis Eve, et puis c'est tout. Elle ne parle pas du facteur. Vous pouvez chercher, si vous ne me croyez pas. A moins qu'on ne considère le serpent comme une espèce d'employé des P. et T., ainsi que n'ont pas manqué de le faire certains exégètes aventureux, mais c'est une interprétation, passez-moi l'expression, plutôt tirée par les cheveux et qui sent l'hérésie. On a brûlé des gens pour moins que ça et on a eu bien raison, je ne vois pas pourquoi on se priverait du plaisir de brûler les gens quand c'est justement ça dont on a vraiment envie. Enfin, bon, pas de P. et T. dans la Bible.

En fait, la première trace incontestable d'une Administration des Postes que l'on puisse mentionner sans rougir nous amène à l'année 1870 : la trop fameuse dépêche d'Ems, adressée par le roi de Prusse à l'empereur des Français et qui déclencha la guerre de, justement, 1870. Entre ces deux dates, rien.

A quelle époque écrivait la marquise de Sévigné ? Sous Louis XIV. Or, Louis XIV se situe entre les deux dates fatidiques, donc le siècle de Louis XIV fut un siècle sans poste. Il n'y a vraiment pas de quoi faire tant le fier.

Comment alors s'y prenait la marquise pour faire parvenir ses lettres à leurs destinataires ? Eh bien, on ne sait pas. C'est un mystère.

Employait-elle des pigeons voyageurs ? Allait-elle les porter elle-même ? Enroulait-elle la lettre autour d'une brique et la lançait-elle avec force et détermination dans la direction de la personne aimée ? Se mettait-elle à la fenêtre et lisait-elle la missive à voix hurlée de façon à ce que ladite personne aimée l'entendît ? Toutes les hypothèses sont permises. En tout cas, un fait est absolument certain : elle ne reçut jamais de réponse. Jamais.

C'est pourquoi, s'il existe de nombreuses éditions en librairie des « Lettres » de Madame de Sévigné, on ne connaît aucune édition des « Réponses aux Lettres » de cette même dame. Grave lacune. Qu'est-ce qu'une lettre sans sa réponse ? Une serrure sans clef. Un sandwich jambon-beurre sans jambon ni beurre. Un chèque sans provision. Une bicyclette sans roues... Et bien d'autres choses lamentables.

... des tas d'adjectifs...

La critique littéraire est unanime, et c'est le principal : Madame de Sévigné n'écrivait que des conneries.

Avec beaucoup de grâce, certes, car elle connaissait un grand nombre d'adjectifs et même quelques adverbes, beaucoup plus en tout cas qu'il n'était séant à une personne de son sexe d'en connaître en ces époques austères où le christianisme et l'éducation des filles n'étaient pas de vains mots. Mais de quel profit sont la grâce, l'élégance, le vocabulaire et la virgule distribuée à bon escient si tout cela n'est pas mis au service du peuple ? Je vous le demande. Or, force nous est de constater que, du peuple, la marquise de Sévigné s'en souciait comme de sa première chaise à porteurs. Lénine l'a dit avec éloquence, et Trotsky, cette fois-là, ne l'a pas grossièrement interrompu selon sa regrettable habitude : « L'art qui ne contribue pas à élever la conscience politique du prolétaire jusqu'à lui faire dénoncer son père et sa mère au K.G.B. comme petits-bourgeois et vipères lubriques est un art fasciste ». La cause est entendue.

Madame de Sévigné commença à écrire très tôt, et tout de suite, notons bien cela, sous la forme épistolaire. D'où lui vint cette idée, alors saugrenue ? Personne, jusque-là, n'écrivait de lettres. L'objet « lettre » n'existait pas. La notion même de lettre n'existait pas. Personne n'avait jamais écrit à personne. Et tout le monde ne s'en portait pas plus mal, et même plutôt mieux qu'aujourd'hui, et il n'y avait pas le sida ni les accidents de la route. Comment donc a pu naître dans la petite cervelle impubère de cette morveuse l'idée d'écrire, et d'écrire quoi, s'il vous plaît ? Des lettres !

Eh bien, la réponse est peut-être là : le

premier manuscrit authentique de la marquise qu'il ait été donné au monde érudit d'examiner est une lettre au Père Noël. (Si bien que, non seulement Madame de Sévigné est la créatrice du genre épistolaire, mais aussi celle de la lettre au Père Noël.) Que dit cette lettre ? Ceci :

« A Monsieur le Père Noël,

Monsieur,
Vous sçaurez que j'ay grande envie d'une poupée, mais pas n'ymporte quelle poupée, mon bon. Il me la fault telle que fillette vive et alerte, et je veux avant tout qu'elle pisse bien fort dedans sa culotte et chye de même manière par l'orifice pour cela prévu par la nature. Ainsy, mon tout bon, je compte sur vous pour la livrer sans faulte dans la nuyct de ce vingt-quatrième de décembre en mon petit soulyer qui se trouvera devant la grande chemynée du salon rose. Et ne vous avysez de m'apporter aultre chose, car je vous feroys fort bien fouetter votre gros cul par mes gens. »

On remarquera que toute l'alerte finesse de la future marquise est déjà là, dans ce modeste billet. Quel entrain ! Quel sens du mot juste, du détail piquant ! Et quelle précision dans la description ! Quel dommage que tant de talent dût être mis au service de la futilité ! Si cette femme remarquable eût écrit « Le Capital », la face du monde en eût été changée trois siècles plus tôt !

Née Marie de Rabutin-Chantal, elle se vit mariée raisonnablement tôt au marquis de Sévigné, lequel lui planta gaillardement deux enfants là où ça se plante et puis descendit se faire tuer en duel par un quidam quelconque, il aurait mieux fait de jouer aux dominos, là, oui, il était très fort, mais le quidam, lui, c'est à l'épée qu'il voulait jouer, maintenant on comprend pourquoi, et que voulez-vous que fît Marie ? Elle écrivit, eh oui.

Elle se dépêcha de sevrer ses deux enfants et de les confier à la bonne, car comment écrire avec un moutard pendu au sein qui vous masque la feuille blanche ? Et puis, le liquide dont avait besoin son organisme pour fabriquer ce bon lait crémeux qu'il sécrétait en abondance, ce liquide était prélevé sur celui de ses glandes salivaires (vous n'avez pas été sans remarquer qu'une femme qui allaite ne crache pas, ou presque pas), si bien que sa langue était obstinément sèche et qu'elle ne pouvait plus humecter la bande gommée de l'enveloppe pour sceller ses lettres. Car elle avait entre-temps inventé l'enveloppe, évidemment. Vous avez déjà vu une lettre sans enveloppe, vous ?

C'est quand sa fille, mariée à un Monsieur de Grignan, s'en fut allée vivre sur ses terres que Madame de Sévigné donna enfin libre cours à sa rage épistolaire.

Ici, le lecteur doit faire un effort et essayer de se représenter ce que c'était qu'écrire, au XVIIe siècle.

... mais elle avait...

D'abord, très peu de gens savaient écrire. Le roi savait, un peu. Mais il faisait beaucoup de fautes d'orthographe. Il préférait chasser le lapin de garenne ou faire la guerre à l'empereur d'Autriche. La marquise de Sévigné savait écrire, et même, nous l'avons vu, avec une certaine élégance, mais elle ne s'en vantait pas, une femme sachant écrire étant alors considérée comme une traînée et une marie-salope.

Avec quoi écrivait-on ? Avec une plume. Une vraie plume. D'oie. Qu'on taillait soi-même. Déjà, vous voyez, quel travail ! Tous les dix mots, tailler la plume. Encore cette plume devait-elle être fraîchement cueillie sur une oie vivante, sans quoi ça ne marchait pas, ça faisait des pâtés. Vous voyez d'ici l'écrivain, avec toutes ces oies autour de lui qui caquetaient dans la chambre et fientaient partout ! Rien qu'attraper une oie, tiens, je ne sais pas si vous avez essayé ! Ensuite, le papier. On écrivait sur du papier, et c'était un grand progrès. Avant, on faisait ça sur du parchemin, qui est de la peau de bourrique, et vous imaginez tous ces ânes dans la chambre, et, chaque fois que vous avez fini la page, il faut attraper un âne, etc. Pensez maintenant à l'encre, au buvard, à la bûche qu'il faut mettre dans le feu, aux rats qui vous grignotent les orteils... Ah, certes, il avait le cœur bien accroché, l'écrivain de ces temps terribles !

... un gros cul mou.

Ecrire toute la journée donne aux femmes un gros cul mou et un teint de papier mâché. C'est pourquoi Louis XIV préféra sauter Mademoiselle de La Vallière plutôt que Madame de Sévigné. En fait, il sauta toutes les dames de sa cour, et même quelques-uns de leurs maris, plutôt que Madame de Sévigné. Il ne manque pas d'historiens des lettres pour faire le rapprochement. Ecrivait-elle parce que dédaignée ou bien fut-elle dédaignée parce qu'écrivant ? Il faut reconnaître que, pour ne pas avoir été sautée par Louis XIV, il fallait s'être donné du mal.

Toujours est-il que Marie — nous pouvons bien l'appeler Marie, maintenant que nous sommes intimes — écrivait. Surtout à Madame de Grignan, sa fille. Mille choses futiles, certes, mais charmantes, et qui donnent une idée juste de la vie quotidienne au XVIIe siècle.

Quelques exemples au hasard :

« Je vous donne à deviner, ma toute bonne, quelle est la chose la plus étonnante, la plus surprenante, la plus merveilleuse, la plus miraculeuse, la plus triomphante, la plus inouïe, la plus singulière, la plus extraordinaire, la plus grande, la plus petite, la plus rare, la plus commune, la plus éclatante, la plus secrète, dans laquelle j'ai marché ce matin... »

« J'ai vu brûler la femme Voisin, mon tout bon. Figurez-vous que cela puait comme trente-six diables et que si cette méchante femme n'eût eu les mains liées, il ne fait aucun doute qu'elle s'en fût servie pour se boucher les narines. »

« Grâces soient rendues à Dieu, ma toute bonne : le Roy n'est plus constipé ! Il a lâché ce matin au petit lever un étron fort dur et fort noir, suivi d'un abondant flux d'une matière de belle venue que ses médecins ont trouvée louable et d'aimable consistance. Aussitôt, cent un coups de canon tirés de la citadelle de la Bastille ont annoncé au royaume la bonne nouvelle du soulagement des viscères de son Roy. Ce soir, il y aura feu d'artifice et grandes eaux à Versailles.

Post-scriptum : pourriez-vous, ma toute bonne et toute belle, me rendre les petites cuillères en argent que, croyant que je ne vous voyais pas, vous avez subrepticement glissées sous votre jupon ? »

Arrêtons-nous. Trop de beautés ferait mal. Simplement une question, pour finir :

Maintenant que la poste est enfin inventée et fonctionne à peu près régulièrement, qu'attend-on pour jeter à la boîte les lettres de Madame de Sévigné ?

ADOLF HITLER

CELUI qui devait devenir le Führer, le conducteur prestigieux des peuples de l'Europe, choisit de naître, vers la fin du XIXe siècle, dans un humble village d'Autriche. Qu'est-ce que l'Autriche ? Pour vous faire une idée, je dirai que l'Autriche est à l'Allemagne ce que la Corse est à la France : toute petite, dans le bas à droite, peuplée de futurs douaniers et de sous-officiers en retraite.

Sa chère maman était une Allemande de pure race germanique. Le lait des vraies mères allemandes est plus blanc que le lait des femmes ordinaires, il contient davantage de protéines et de sels minéraux si bons pour la santé. C'est pourquoi les épouses allemandes sont tellement recherchées en mariage pour les fils de rois, en plus que ce sont de vraies blondes, quoiqu'elles aient les poils du bas-ventre aussi lisses que les cheveux d'en haut, et toujours strictement peignés et laqués avec la raie au milieu, ce qui peut déconcerter le visiteur, surtout au premier contact. Passons.

Le petit Adolf téta goulûment ce lait imma-

culé et y puisa l'idéal qui devait orienter toute sa vie : « Une race pure sous une grande casquette. » Pour en terminer avec cette noble et vaillante créature, sachez qu'elle supprima son mari de sa propre main à coups de peigne à démêler la choucroute le jour où elle apprit que l'arrière-grand-père de ce vil intrigant avait eu une nourrice un petit peu juive.

Orphelin de père et chargé de mère, Adolf fit front, crânement. Il dit au destin « A nous deux ! », serra tendrement sa chère maman contre sa mâle poitrine et alla la déposer sur la poubelle de l'immeuble, les éboueurs avaient l'habitude. Puis il prit son essor vers le vaste monde.

Heil !

Comme tous les futurs grands hommes, il commença par vendre des journaux dans la rue. Les rues d'alors grouillaient de génies en culottes courtes qui criaient les nouvelles du jour en attendant leur tour d'être les maîtres du monde. Le petit Hitler rencontra ainsi le petit Einstein, le petit Rockefeller, le petit Staline, le petit de Gaulle et le petit Mitterrand, mais ils ne se reconnurent pas, le moment n'était pas venu.

Malgré son ardeur au travail et sa voix croassante, Adolf ne gagna jamais de quoi s'acheter un kiosque et se mettre à son compte, car il dépensait tout son bénéfice en casquettes de marinier qu'il faisait élargir et maintenir rigides par le moyen de couvercles de poubelles habilement glissés dans la coiffe. Hélas, toujours l'étoffe craquait avant que ne fût atteint le diamètre idéal, et tout était à recommencer.

Adolf fut ensuite cintreur de bretzels dans une usine spécialisée. Avait-il enfin trouvé sa voie ? Ses « doigts de fée » (en français dans le texte) l'eussent sans nul doute propulsé vers la parfaite maîtrise de cet art difficile si, mû par il ne savait quelle secrète et irrésistible impulsion, il ne s'était obstiné à donner à ces traditionnelles friandises une forme bizarre et même carrément provocatrice, en tout cas résolument contraire à la sainte tradition du bretzel allemand, forme que le monde entier allait, bien des années plus tard, adorer à genoux sous le nom vénéré de « croix gammée », mais qui, en ces temps d'ignorance, coupait net l'appétit de l'amateur de bretzels vraiment allemands. On mit Adolf à la porte.

Il fut aussi pendant quelque temps peintre en bâtiment. Jusqu'au jour où un quidam lui cria : « Tiens bon le pinceau, j'enlève l'échelle ! » Et le fit. Arrachant péniblement sa tête au seau de peinture, Adolf eut le temps d'apercevoir le profil caractéristique du lâche agresseur en fuite : c'était un Juif. Adolf mit cela dans un coin de sa tête.

1914. Entre l'Allemagne et la France, c'est la guerre. Celle qu'on se plut alors à surnommer « la Grande Guerre ». On n'avait encore rien vu ! Adolf fit glorieusement son devoir. Cerné par deux cents tirailleurs sénégalais anthropophages, il en tua cent quatre-vingt-dix-neuf avant d'être fait prisonnier par le dernier. Il inscrivit dans son calepin : « 1 Allemand = 199 non-Allemands ». Et aussi cette interrogation : « Les nègres ne seraient-ils pas un peu juifs ? A creuser. »

Vinrent pour le peuple allemand les années sombres. La famine ravagea la race blonde. Seuls, les Juifs, les francs-maçons et les communistes mangeaient, et même se goinfraient, en ricanant. Adolf mettait tout cela dans sa tête.

Heil !

Comprenant enfin qu'il n'était pas un manuel, mais un penseur, Adolf décida de consacrer sa vie à l'Allemagne, à la Race. Il fonda le Parti Nazi avec quelques fidèles qui avaient juré haine éternelle aux vendus, aux basanés, aux jaunâtres, et par-dessus tout aux ampoules dans les mains. Il avait gardé jusque-là le nom de son père, qui était Schicklgrüber. Il remarqua que le cri « Heil Schicklgrüber ! » était assez éprouvant à prononcer. Il changea donc son nom en celui de Hitler, nettement moins essoufflant et précédé d'un « H » aspiré, ce qui fait puissamment viril.

A cette époque maudite, quatre-vingt-dix-neuf pour cent de la population de l'Allemagne était juive. Le Juif tenait avec arrogance le haut du pavé. Quiconque n'était pas verdâtre et huileux de peau, noir et crépu de poil, crochu du nez et plein de sales boutons dégueulasses un peu partout était persécuté, pourchassé, torturé, mis à mort et dévoré lors de sacrifices rituels. Les blonds Aryens se terraient dans des caves fétides, n'osaient mettre le nez dehors, se nourrissaient de rats crevés et de cloportes gigotants qu'ils avalaient tout crus en sanglotant. Mais la foi en leur supériorité raciale, en leur mission divine, ne les abandonnait pas. Afin de se conforter mutuellement dans la certitude de la justesse de leur cause sacrée, ils se faisaient admirer l'un à l'autre, à la triste lueur des chandelles, leurs cheveux de lin, leurs yeux de pur azur, leurs toisons pubiennes d'or pâle et l'opulence de leurs vastes fessiers lactescents... Cependant les Juifs les traquaient sans pitié et, quand ils parvenaient à les dénicher, ils les exposaient sur la place publique, le cul à l'air et portant des écriteaux insultants : « Je suis une sale truie aryenne. » « Je suis fade, je sens le savon et le dentifrice au lieu de sentir la bonne vieille pisse et le rat pourri. » La foule des Juifs voyait cela, et cela les faisait vomir.

Jugeant l'heure venue, Hitler (nous lui donnerons désormais ce nom choisi par lui et qu'il devait hisser au paroxysme de la gloire) Hitler, donc, dit à ses copains « Deutschland, erwache ! » ce qui signifie « Allemagne, réveille-toi ! » Tous se dressèrent et crièrent d'une seule et formidable voix « Deutschland, erwache ! » en faisant le salut nazi. Et puis ils sortirent de la cave et se mirent à casser la gueule aux Juifs. Un Allemand vaut cent quatre-vingt-dix-neuf non-Allemands, certes, mais quand c'est pour une cause juste et noble un Allemand vaut dix millions de Juifs. Les Juifs tombèrent par paquets entiers. Ils éclataient sur le pavé, il en giclait un jus noirâtre et puant.

Le chef de l'Etat, qui était le maréchal Hindenburg, voyait cela de la fenêtre de son palais. Le maréchal Hindenburg était un Allemand de pure race, mais déplorablement gâteux et prisonnier des Juifs tout-puissants ainsi que de leurs complices francs-maçons et communistes. Son vieux cœur allemand tressauta de joie. Il cria à Hitler, par la fenêtre « O toi ! O Siegfried ! O Parsifal ! Tu es celui qui rendra sa fierté au noble sang allemand ! Je te fais chancelier. Attrape ! » Et il lui lança un papier timbré de chancelier où Hitler n'avait plus qu'à écrire son nom sur les pointillés prévus pour ça. Adolf, ému, dit « Merci, mon maréchal ! » et promit à l'illustre vieillard qu'il y aurait toujours une place assise pour lui dans le métro.

Heil !

Désormais, Hitler était tout-puissant. Il mit le feu au Reichstag, qui était une espèce de Chambre des Députés, parce qu'il ne lui plaisait plus. Les députés étaient sortis. Hitler fut très en colère, il les croyait encore dedans. Il se promit de faire publier une loi contre l'absentéisme.

Les honneurs ne lui tournèrent pas la tête. Il continua à nettoyer le sol allemand de la souillure juive mais, voulant éviter que cela ne fasse trop de saletés dans les rues, il fit ramasser les Juifs et les entassa dans des endroits commodes, à la campagne, là où l'air plus vif fait mieux tirer les cheminées des crématoires.

Il était à fond pour l'instruction du peuple. Suivant l'exemple du grand Charlemagne, il visitait les écoles, faisant mettre les bons élèves à sa droite et les Juifs à sa gauche, juste au-dessus de la trappe. L'Allemagne commençait à sentir bon.

Mais, hors d'Allemagne, la conspiration juive voyait cela d'un œil torve. Cette suave odeur de propre et d'eau de Cologne que, sur ses ailes légères, la brise apportait depuis les bords du Rhin, était intolérable aux nez crochus des ennemis de toute beauté. Saisissant le premier prétexte venu, ils firent à l'innocente Allemagne, qui ne s'y attendait pas du tout, une guerre vraiment malhonnête. Adolf dut faire face à la terre entière, soudoyée par les Juifs et leurs alliés bolcheviks.

Heil !

Ce fut une belle guerre. Une très belle guerre. L'Allemagne gagnait sur tous les fronts. Les grandes villes étaient bien un peu cassées, les soldats un peu morts, mais l'arc de triomphe de la Porte de Brandebourg tenait bon, et tant qu'on a un arc de triomphe pour le défilé de la victoire, on tient le bon bout. Adolf Hitler, dans son bunker inviolable sous la Chancellerie, attendait avec confiance de pouvoir sortir de la naphtaline le bel uniforme qu'il avait fait faire spécialement. Il entendait des bruits bizarres. Il demandait à son fidèle garde du corps :

— Qu'est-ce donc que ce boucan ?

Le garde du corps répondait :

— Oh, ça ? Ce n'est rien, mein Führer, seulement les Goebbels qui se sont fait sauter la cervelle.

— Ah, bon. Et ma très chère Eva Braun, que fait-elle ?

— Elle se dessine une cible sur la tempe, mein Führer. Avec du rouge à lèvres.

— Vraiment ? Il y en a qui se la coulent

douce ! Je dois tout faire, ici. Ah, on n'est pas aidé ! Et ces coups de pied dans la porte, qu'est-ce que c'est, encore ?

— Mein Führer, c'est les Russes.

— Alors, tu me donnes le revolver, *du Schweinkopf !* (1) Qu'est-ce qu'il y a d'écrit, dans « Mein kampf », au chapitre « Ce qu'il faut faire quand les Russes donnent des coups de pied dans la porte du bunker » ? Trouve la page et lis.

— *Jawohl, mein Führer !* (2) Voilà, j'ai trouvé.

— Lis !

— « Quand les Russes cognent avec le pied dans la porte de le bunker... »

— Tu lis comme un cochon, tête de cochon !

— Je suis autodidacte (3), mein Führer.

— C'est bien. Seuls les Juifs savent lire correctement. C'était un test. Eusses-tu lu correctement, je t'abattais comme un chien.

— Je continue, mein Führer ?

— Inutile. Je connais la suite, c'est moi qui l'ai écrite. Allons, il est temps. Il y a dix balles dans le chargeur.

Hitler leva le bras, appuya sur la détente. Cela fit dans le bunker un bruit considérable. Le fidèle garde du corps s'abattit.

(1) Tête de cochon.
(2) Oui bien, mon conducteur !
(3) Ottotitakt.

— Ein ! dit Hitler.

Eva Braun accourut, toute rose dans son déshabillé transparent.

— Adolf ! Chéri ! Qu'est-ce qui...

— Je t'ai déjà dit : pas de familiarités en public.

— Pardon. Mein Führer, qu'est-ce qui...

Hitler appuya sur la détente. Eva Braun s'écroula. Le déshabillé s'écarta, on vit des choses. Eva Braun était une fausse blonde. Peut-être une Juive ?

— Zwei ! dit Hitler.

Puis il tourna le canon du revolver vers son propre visage, en appuya l'extrémité contre sa tempe et compta :

— Drei !

Car, cette fois-là, il ne pourrait plus compter, après. Il appuya sur la détente. Cela fit « Clic ! » Déçu, il examina le revolver. Il était vide. Soudain, Hitler comprit. Il compta sur ses doigts.

— Une balle pour Goebbels. Une balle pour Madame Goebbels. Ça fait deux balles. Une balle pour chacun des six petits Goebbels. Ça fait huit balles. Une balle pour Tête de Cochon. Neuf balles. Et une balle pour Eva qui est peut-être juive, ça fait dix balles... Le compte y est. Je suis trahi !

C'est à ce moment précis que la porte du bunker vola en éclats.

Aïe !

A partir de là, on ne sait plus trop. Les seuls témoignages que l'on possède émanent des soi-disant vainqueurs, tous Juifs ou agents des Juifs, tous plus menteurs les uns que les autres, cela va de soi. La vérité, c'est que personne ne sait ce qu'est devenu Adolf Hitler. Sauf les vrais Allemands. Dans les caves fétides où, de nouveau, ils se sont terrés, ils se répètent ardemment que le Führer n'est pas mort et qu'un jour il reviendra pour rendre à l'Allemagne purifiée l'empire du monde.

Comme tous les grands hommes, Adolf Hitler connut, tout de suite après sa disparition, une période d'effacement, voire de dénigrement. Les temps sont venus, cependant, où l'on commence à rendre justice au courageux précurseur. Telle celle du grand Napoléon, sa gloire, de jour en jour, grandit et s'entoure d'une aura de plus en plus lumineuse. L'un comme l'autre calomniés de leur vivant, réputés odieux tyrans, scélérats et criminels de guerre, ils seront entrés après coup dans une même légende. Comme les grognards de l'Empereur, les S.S. du Führer exaltent l'imagination des petits garçons épris d'idéal et de bravoure et font rêver les jeunes filles à l'âme romanesque.

Il est des signes qui ne trompent pas. Le nom

de Hitler est devenu le terme de comparaison universel quand on veut exalter un individu aux qualités suprêmement viriles. N'a-t-on pas lu successivement, dans la presse, ces mots en lettres gigantesques : « Nasser est-il Hitler ? », puis : « Kadhafi, le nouvel Hitler ? », et encore : « Khomeiny, Führer de l'Islam », « Staline, le nazi rouge » et, tout récemment : « Saddam Hussein est pire que Hitler »...

L'Histoire jugera. De toute façon, elle n'a que ça à foutre.

LES FRÈRES
GONCOURT

Il importe et il urge, c'est une œuvre d'assainissement public, de dénoncer une bonne fois pour toutes l'imposture éhontée des trop fameux jumeaux siamois connus sous le nom de « Goncourt », sinistres gredins qui font, encore de nos jours, peser sur les lettres françaises une dictature aussi odieuse qu'usurpée.

Et tout d'abord je dois à la vérité historique une révélation qui en laissera pantois plus d'un, et non des moindres : les Goncourt n'étaient nullement ce qu'il est convenu d'appeler « siamois », c'est-à-dire indissolublement liés l'un à l'autre par une partie du corps possédée en commun. Ce n'est que par l'effet d'une astuce diabolique et d'une vigilance de tout instant qu'ils réussirent à le faire croire, afin de se rendre intéressants et d'acquérir par la pitié cette notoriété que leurs œuvres eussent été bien incapables de leur apporter. Deuxièmement, ils n'étaient même pas jumeaux. Troisièmement, ils n'étaient même pas frères. Quatrièmement, ils n'étaient même pas deux... Quelle secousse, n'est-ce pas ? Prenez le temps de vous remettre, tout vous sera expliqué, preuves à l'appui, dans les paragraphes qui suivent.

Si on avait noyé...

Donc, ils n'étaient pas deux, il était seul, il s'appelait Edmontéjule, c'était son nom de famille. Il était de son état facteur rural à Goncourt (nous y voilà !), humble mais honnête hameau de l'haltière Hormandie, comme il se plaisait à le proclamer lui-même, car il avait un bec-de-lièvre et s'exprimait avec la voix de cet agile animal.

Son père, simple châtreux de bœufs ambulant, allait de ferme en ferme exercer son utile sacerdoce. C'est ainsi qu'il connut celle qui devait devenir la mère sublime de notre héros, et qui se contentait pour lors d'être la fille unique et tendrement chérie d'un opulent métayer du village de Vlamamère, dans la verte vallée d'Othetamain. Entre ces deux êtres d'exception, tout de suite un tendre sentiment naquit. Abrégeons. Il la sauta vite fait là où ça se fait : derrière l'étable où il venait d'officier. Hélas, le père survint, comme ils surviennent : à l'improviste. Lequel se mit comme ils se mettent tous : en colère. S'estimant indignement trahi dans ce qu'il avait de plus cher, ce père spartiate saisit le châtroir à bœufs que, dans son impatience amoureuse, le sentimental jeune homme avait négligé de ranger dans l'étui prévu pour cet usage, et, d'un énergique mais subtil coup en diagonale magistralement conçu et exécuté, il faut le reconnaître, surtout s'agissant d'un amateur, il s'arrangea sur-le-champ pour savoir si un châtroir à bœufs pouvait occasionnellement servir pour châtrer un homme. Il pouvait.

Ayant fait, cet irascible cultivateur déclara, d'une voix qui ne laissait que peu de place à l'interprétation :

— C'est pas tout ça, maintenant, tu vas te la marier !

Vous savez désormais pourquoi le petit Isidore Edmontéjule n'eut jamais de petit frère, ce qui le traumatisa très fort et durablement, car c'était un enfant d'un naturel affectueux.

Il fut aimé de ses chers parents et pas plus battu que la moyenne des enfants, c'est-à-dire très fort et très souvent. Son papa, cependant, élargissait du fessier et prenait une voix flûtée. Il avait entre-temps renoncé à exercer son noble art, le seul mot de « châtrer » le plongeant dans des accès de mélancolie meurtrière que seul le calvados à doses thérapeutiques parvenait à calmer. Sa mère, si gaie, si insouciante naguère, était devenue sombre d'humeur et humide de pleurs. Quand l'astre des nuits en son plein montait au ciel étoilé, elle hurlait à la lune et grimpait aux rideaux. Cela était triste, infiniment.

Or sachez que toutes les familles de la région étaient des familles nombreuses, l'étaient fièrement, l'étaient avec arrogance. Les maris étaient abondamment pourvus en couilles fort noires et fort sauvages, et tenaient à ce que ça se sache. Les femmes mettaient bas une fois l'an. Si bien que, lorsque quelque sottise enfantine avait été commise dans l'un des foyers de la verte vallée, les coups de sabot s'éparpillaient sur une ribambelle de joues et de fesses et, par là même, perdaient de leur vigueur et de leur efficacité. Telle était la règle commune. Par contre, chez les Edmontéjule, le pauvre petit Isidore, seul pour faire face à l'orage, essuyait sur ses pauvres tendres petites surfaces la totalité du contingent de torgnoles que recelaient les entrepôts de la vigueur paternelle, et ce avec une redoutable précision de tir.

L'infortuné bambin se réfugia dans le fantasme. On sait, depuis les travaux des docteurs Freud et Rika Zaraï, quelle peut être la puissance onirique de l'enfance, mais on ne le savait pas à cette lointaine époque, on ne connaissait même pas le mot.

Isidore se créa, dans le secret de son âme, un frère imaginaire, un jumeau tendrement chéri sur qui il reporta ce surcroît d'amour inemployé dont débordait son jeune cœur. Le soir, blotti sur sa botte de paille dans la soue aux cochons, il injuriait ce frère qui était un autre lui-même et le rouait de coups, car c'était là le seul moyen qu'il connût pour communiquer sa tendresse.

Son père cependant avait de l'ambition pour lui.

— Tu seras facteur, décida d'une voix aiguë cet homme aux vastes desseins. Tu auras un képi et des pinces à bicyclette, tu feras honneur à ta famille et ça leur apprendra, à tous ces cons.

Car, bien que sa naturelle fierté ne lui permît pas d'en laisser rien deviner, il vouait une haine ravageuse aux gens du village, dont les épais quolibets et réflexions allusives avaient pour cible habituelle les tristes conséquences génitales de ses amours de jeunesse. Puis, ayant dit, cet homme cruellement puni pour une faute qu'à sa place nous eussions commise tout comme lui, peut-être même avec des raffinements et variantes beaucoup plus cochons, cet homme, donc, celui-là même, oui, bénissant son fils et regrettant le boudin dont il n'aurait pas sa part car les temps n'étaient pas encore venus de tuer le cochon, expira.

... les frères Goncourt...

Les désirs d'un père mort sont doublement sacrés.

La maman d'Isidore prit un amant. Toutes des salopes. Surtout celle-là, privée comme elle avait été. L'amant fouillait dans la marmite et prenait pour lui tout le lard, avec le gras et la couenne. Il ne restait que l'eau chaude et les petites pâtes, qui étaient trop éparpillées pour qu'on puisse les attraper avec la fourchette. L'amant honnissait les cuillères, allez savoir pourquoi. Heureusement pour l'enfant, qui, autrement, n'aurait eu que l'eau chaude, et peut-être même pas. Ces petites pâtes étaient du type « alphabet ». Le petit Isidore avait compris tout seul (par quel miracle venu d'En Haut ?) que dans ces minuscules choses bizarrement contournées gisait la clef du savoir. L'amant ne voyait pas si loin, il était analphabète total et s'en faisait gloire. La mère n'avait d'yeux (de louve dévorante) que pour son amant, et aussi des mains, sous la table. Ah, celle-là, fallait pas lui en promettre !

Par le seul travail de son agile cerveau, Isidore réinventa « B,A = BA », puis « C,A = CA », et la suite. Quand on a compris ça, le reste vient tout seul, telle une maille qui file. Il passa haut la main le certificat d'études, puis le concours des Postes, et devint facteur. Il eut alors un regard vers la voûte azurée et dit « Papa, sois fier de moi. » Il avait atteint le but suprême.

Mais le savoir est un ogre jamais rassasié. Quand on sait faire « A », on veut faire « B », puis « C », puis « Mimi a bu le lolo », puis « La Légende des Siècles ». C'est un engrenage, en somme. Isidore Edmontéjule n'échappa pas au sort commun. Quand il eut terminé « La Légende des Siècles », il s'aperçut qu'un autre l'avait déjà faite, alors il écrivit « Germinie Lacerteux », avec un nom pareil il pouvait être tranquille. Autour de lui s'éleva un murmure flatteur. Il faut reconnaître que « Germinie Lacerteux » est une chose solide, entièrement écrite au passé simple, pleine de dictées pour les écoles communales, avec par-ci par-là des imparfaits du subjonctif de la bonne cuvée, des hiboux qui prennent un x et des verrous qui n'en prennent pas, c'est le piège, un vrai régal pour instituteurs souffrant de l'estomac.

Devenu auteur, il envoya son képi par-dessus les moulins, s'habilla en artiste et s'en alla frapper à la porte de l'Académie française. L'Académie française lui tira la langue.

L'Académie française recevait en son sein généreux les maréchaux de France vendus à l'ennemi et pleurant parce que l'ennemi ne les avait quand même pas laissés gagner une bataille, même une toute petite, même en faisant semblant, et aussi les archevêques portés sur les enfants de chœur, et aussi les fabricants de bretelles élastiques, qui étaient alors les maîtres de la Bourse, mais surtout pas les écrivains. Isidore Edmontéjule ignorait cela. Se fût-il renseigné d'abord, il n'eût pas pris le risque de ce refus bien naturel. Mais voilà, il se vexa. Ah, quand le destin s'en mêle !... Il jura entre ses dents « Je me vengerai ! » Il le fit.

Il fonda une Académie concurrente. C'était un coup perfide. Personne n'avait encore songé à cela, tellement c'était perfide.

Il alla la déclarer là où se déclarent les Académies. L'employé lui demanda son nom, il répondit « Edmontéjule », car il était l'ami de la vérité. L'employé lui demanda où il était né, il répondit « Goncourt », ce qui n'était pas moins conforme aux faits.

A cette époque, encore assez primitive par certains côtés, les employés écrivaient à la main, si si, je vous assure, au moyen d'un porte-plume réglementaire muni d'une plume en fer qu'ils trempaient dans l'encre violette fournie par l'Administration. Ils portaient aussi des manches artificielles en vilain tissu noir serré par des élastiques afin de ne pas user aux coudes les manches naturelles de leur veste, c'était une époque comme ça, soigneuse et économe. L'employé donna un coup de tampon sur la déclaration pour que personne ne puisse dire quelque chose contre, un autre coup d'un autre tampon pour faire joli, et puis il dit « Ça fait vingt-huit sous, trois deniers et six liards » — dans ce temps-là, la monnaie était amusante comme tout —, Isidore paya, enfin l'employé lui tendit le précieux parchemin.

Rentré dans son humble chambrette, Isidore lut et relut ce document. Plus il le lisait, plus c'était la même chose : « Ce jour du tant et tant

mil-huit-cent-tant, est déclarée fondée une Académie par Edmond et Jules de Goncourt. »
Isidore n'en crut pas ses yeux. Ainsi donc, de par un caprice de l'aveugle destin, son frère imaginaire se voyait arraché aux limbes intimes de l'onirisme pour être projeté dans les concrétudes de l'existant ! Eh bien, soit. Le sort avait parlé. Il ne se déroberait pas.

L'Académie serait donc Goncourt, ses deux premiers membres seraient Edmond et Jules, frères siamois.

... quand ils sont nés,...

Il fallait un lieu. Si possible clos et muni d'un toit. Au-dessus de l'humble logis de celui que nous n'appellerons plus désormais qu'Edmond-et-Jules il y avait un grenier, simple soupente où l'on accédait par une échelle. La propriétaire y rangeait comme un trésor la seule lettre d'amour qu'on lui eût jamais écrite, encore était-ce à la suite d'une petite annonce où elle avait quelque peu idéalisé ses charmes, c'était juste avant l'invention implacable du daguerréotype. Le premier rendez-vous avait été le dernier, cette lettre l'unique. L'amour, lui, avait grandi, désespéré mais tenace. Chaque nuit, la délaissée montait subrepticement dans son grenier, tirait la lettre de son écrin de velours et de maroquin parfumé et la contemplait avec les yeux de l'adoration, se pâmant aux fautes d'orthographe comme à des élans de passion exacerbée. Les années passèrent, laissant intact cet amour si beau mais non les articulations de l'amante. Elle chut hélas de la roide échelle et, bien sûr, se fracassa ce col qu'elles ont au fémur. Et bon, tout ce qui s'ensuit, quoi. Ce qui fait que le grenier était libre.

Le Tout-Paris sut bientôt que, dans un grenier absolument chou — Imaginez-vous cela, très chère ? — Edmond et Jules de Goncourt, frères inséparables, avaient fondé une Académie littéraire où tout le monde était admis à la seule condition de n'être pas de l'autre, la soi-disant « Française ». Le grenier fut envahi. On y servait de la limonade et des petits-beurre, friandise tout nouvellement créée par les frères Lu-Lu, d'authentiques jumeaux siamois, ceux-là, indéfectiblement liés par le trait d'union.

Edmond-et-Jules avait soigneusement mis au point son numéro des deux jumeaux. Jamais on ne les voyait ensemble, ou alors par l'effet d'un habile jeu de miroirs. Quand l'un des deux, Jules ou Edmond, se trouvait sur le pas d'une porte, il faisait semblant de parler à son prétendu jumeau, censé être de l'autre côté. Il avait entre-temps pris des leçons d'un ventriloque dont la carrière s'était vue brusquement interrompue par des flatulences irrépressibles autant que sonores qui couvraient le son de sa voix seconde.

On était bien, chez les Goncourt. Tout ce qui compte dans le monde de l'esprit s'y pressa. Alphonse Daudet arrivait toujours le premier, avec ce putaing d'assent qu'il se croyait obligé d'assumer depuis qu'il avait écrit « Les Lettres de mon moulin ». Mais tout le monde le prenait pour un Prussien, ce qui était alors plutôt mal vu. Victor Hugo ne dédaignait pas d'y venir faire un tour, sans cesser pour autant d'aligner des alexandrins sublimes en se servant comme écritoire de la bonne, de la chatte, de la georgesand ou de quoi que ce soit qui fût fendu, qui eût du poil et qui puât qui lui était passé à bonne portée d'organe génital. Ce puissant génie scandait ses vers au fur et à mesure et à voix de stentor tout en comptant les pieds sur les doigts de sa main libre et en copulant au rythme puissant de la césure, ce qui, vous pensez bien, faisait bisquer ceux qui n'avaient qu'un talent ordinaire et des appétits sexuels format courant. Emile Zola aussi était là, habillé en ouvrier ivre, la casquette sur l'œil, parlant argot et hurlant « Con ! Bite ! Couille ! » toutes les trois minutes afin de faire rougir la comtesse de Ségur qui, croyant que c'était du latin, se signait dévotement et, non moins dévotement, s'activait sous la soutane incarnat de Monseigneur Dupanloup. Pierre Loti se faisait somptueusement enfiler dans un coin par un pêcheur d'Islande qui puait l'huile de foie de morue et jurait « Tonnerre de Brest, moussaillon, je sens point les murs, dame ! » George Sand s'obstinait à fumer le cigare, en vomissant partout car elle ne savait pas avaler la fumée, ce qui déclenchait des réflexions obscènes et de gros ricanements chez ces messieurs. Félix Potin était là, un peu perdu, il faut dire, il n'avait pas encore vraiment trouvé sa voie, et aussi Landru, pour la même raison. L'ami Ravachol, venu en voisin, s'amusait gentiment à bricoler des bombes à retardement avec de vieux réveille-matin dégotés aux Puces. Ça lui pétait régulièrement dans la gueule, ce qui faisait rire les autres... Enfin, chacun vaquait à ses petites affaires et suivait sa petite idée sans s'occuper des voisins. C'était le grenier des Goncourt !

Un jour quelqu'un, on ne sait plus qui, proposa :

— Une Académie, faut que ça fait un dictionnaire, non ? Si qu'on en ferait un ?

Un tollé fut la réponse de l'assistance. Tous s'écrièrent d'une seule voix :

— Non, mais, ça va pas ? Le dico, c'est le boulot des bicornes. On les laisse faire, et nous, paf, on critique. La descente en flammes. C'te rigolade, papa !

La motion fut adoptée à l'unanimité.

— Mais, s'obstina l'anonyme déjà men-

204

tionné, si qu'on fait rien, notre nom y passera pas à la postériorité, ça fusse-t-été dommage, que moi je dis.

Là, ils devinrent pensifs. L'écrivain le plus pauvre et le plus méritant dit :

— Fondons un prix. Un prix décerné à l'écrivain le plus pauvre et le plus méritant. Un gros prix, avec beaucoup de sous.

Là, ils applaudirent à tout rompre. Il n'y avait plus qu'à trouver le fric. Edmond écoutait, appuyé au chambranle d'une porte. Il leva la main :

— Je lègue ma fortune par testament à notre Académie. Mon frère est d'accord. Tu es d'accord, Jules ?

De l'autre côté de la porte, la voix de Jules répondit :

— Et comment, Edmond !

Et voilà. C'était lancé. Il ne restait plus à Edmond-et-Jules qu'à faire fortune, ce qu'il fit.

... on ne saurait pas quoi lire aux gogues.

C'est pourquoi, depuis, le Français porte sur la tête un béret basque, dans la poche un litre de rouge, sous le bras une baguette fantaisie ainsi qu'un camembert, et, une fois par an, une seule fois, un livre. Le livre. Le Goncourt. Il a guetté sa télé, il a vu un gros pépère avec de la sauce chic sur la cravate annoncer entre deux rots devant la porte du restaurant le nom de l'élu et le titre du chef-d'œuvre, il a vite couru l'acheter avant qu'il n'y en ait plus, il va le laisser négligemment traîner bien en vue sur la table basse du coin-salon du séjour afin de ne pas passer pour l'analphabète qu'il est aux yeux des autres analphabètes, vite, vite, le point final, je croyais bien que je n'arriverais jamais à me sortir de cette phrase à la mors-le-moi.

DARWIN

Avant Darwin, le monde était simple, harmonieux et facile à comprendre. Tel que Dieu l'avait fait, en somme. Une place pour chaque chose et chaque chose à sa place : les singes dans les arbres, les crapauds sous les grosses pierres, les microbes derrière la croûte du chancre, les fleurs sur les couronnes mortuaires et l'homme au volant de l'automobile grand sport décapotable, qui n'était pas encore inventée mais ça n'allait plus tarder, on avait déjà la capote. Tout au plus l'observateur tatillon aurait-il pu faire remarquer que certains hommes, à quatre pattes sous la terre, creusaient le roc charbonneux comme l'eussent fait des taupes, mais on eût rétorqué à ce coupeur de cheveux en quatre que l'exception est là pour confirmer la règle, pas pour la démolir.

Enfin, bon, il en avait toujours été ainsi et, ma foi, ça ne fonctionnait pas trop mal. Dieu, au plus haut des cieux, se caressait la barbe, son fils, sur sa croix, changeait de pied de temps en temps à cause des fourmis dans les jambes, les oiseaux dans les arbres chantaient le printemps

nouveau, une cigogne faisait son nid dans la couronne d'épines... Le bonheur.

Hélas !

L'homme...

Rien ne laissait supposer que le petit Charles Darwin (Prononcez « Tcherleuzeu », en accentuant lourdement la première syllabe et en glissant avec mépris sur les deux dernières : « TCHERl'z », voilà, c'est à peu près ça. Ah, et puis, aussi, prononcez « Darouine ». Merci.) que le, donc, petit Charles Darwin serait un jour le furieux iconoclaste qui « foutrait le bordel » (en français dans le texte) dans une création jusque-là bien tenue.

Enfant, Charles Darwin, comme tous les bambins de son âge, arrachait les ailes des mouches, ce qui est plutôt un bon point. Son papa prédisait avec orgueil « Il sera naturaliste », mais tous les papas disent cela en voyant leurs garçons se livrer à cette enfantine occupation, ça ne tire pas à conséquence, l'enfant par la suite devient juge de paix, essayeur de bonnets à rabats pour les oreilles (s'il a de grandes oreilles), escroc au mariage ou pédéraste notoire, enfin, je veux dire, il ne se sent nullement obligé.

Mais le petit Charles Darwin, lui, ayant

arraché les ailes de la mouche, non seulement prenait note de ce que l'insecte, probablement vexé, ne manifestait plus le même empressement à prendre son vol, mais encore collait-il les ailes de la mouche à sa petite sœur afin d'observer si l'enfant avait de ce fait acquis la propriété d'évoluer dans l'espace. Disons tout de suite que, sur ce point, ses espoirs furent obstinément déçus, bien qu'il prît soin d'aider la nature en poussant la petite sœur munie de ses ailes par la fenêtre du grenier du presbytère (vous ai-je dit que son papa était pasteur ?).

Les parents se contentaient de réprimander Charles et de le priver d'enterrement de la petite sœur. Loin de s'en chagriner, il mettait à profit ces instants de solitude pour enfoncer une paille dans le cul d'un crapaud et souffler dedans jusqu'à ce que l'innocent insecte fût devenu aussi gros que le bœuf. On ne devrait jamais laisser les jeunes gentlemen britanniques apprendre le français, surtout dans les ridicules fables de La Fontaine.

O étrange aveuglement ! Tout l'enchaînement des calamités qui devaient échoir par la suite était déjà inscrit là, bien visible, éclatant pour quiconque avait des yeux pour voir et des oreilles pour accrocher ses lunettes. Mais il était écrit que le destin à l'haleine aigre devait suivre son cours implacable. Il le suivit.

Passons rapidement sur les années obscures, les études brillantes et la première chaude-pisse, pour en arriver au stade vraiment intéressant de la vie de Darwin, c'est-à-dire au jour où l'illumina cette idée fulgurante : l'homme est un singe qui a mal tourné.

... descend...

C'est pendant un séjour aux îles Galapagos que Darwin, alors âgé d'à peine vingt-deux ans, conçut cette idée véritablement révolutionnaire. Pourquoi les Galapagos ? Il n'y a pas de singes, aux Galapagos ! Seulement des tortues. De grosses tortues, ça oui. Mais pas de singes. Et puis d'abord, qu'était-il allé faire aux Galapagos ?

Eh bien, il nous faut remonter un peu en arrière. Que voyons-nous ? Nous voyons un port. Un port anglais. Il sent le hareng pourri et le vomi de bière. Un port français sentirait le hareng pourri et le vomi de vinasse. Sur un quai de ce port, un objet se meut avec une vitesse prodigieuse. Regardons mieux. Cet objet est un jeune gentleman, sobrement vêtu de cette pièce de lingerie féminine intime que les Français nomment « p'tit' kioulott' » et que les Anglais ne nomment pas. Cet accessoire de toilette est abondamment orné de dentelles faites à la main. Il provient donc d'une dame jouissant d'une certaine aisance. Le jeune gentleman pressé porte ce vêtement sur la tête, signe éloquent d'un grand trouble ou d'une nécessité pressante. Pour le reste, comme nous l'avons déjà remarqué, il est absolument nu, à l'exception d'une bouteille de champagne dont le goulot, maintenant qu'il nous est donné de voir le jeune gentleman de dos, apparaît au bas de sa colonne vertébrale, là où se situe habituellement la queue des animaux ayant l'avantage d'en posséder une, ce qui nous autorise à supposer que le reste de la bouteille, le « gros bout » (en français dans le texte) se trouve profondément enfoui dans le rectum du jeune gentleman.

Si maintenant nous confrontons ces indices : course rapide, nudité, linge féminin intime utilisé en façon de coiffure grotesque et bouteille de champagne dans le cul, nous pouvons conclure que ce jeune gentleman fut surpris au cours d'une partie fine (probablement à incidences sexuelles) avec une dame (ou plusieurs) par un importun (ou plusieurs), probablement le (ou les) mari(s) de cette (ces) dame(s).

Notre hypothèse est confirmée par les faits : voici qu'un gentleman d'un certain âge, mais grand, robuste et brandissant un pistolet de fort calibre dans chacune de ses mains, apparaît soudain dans notre champ visuel. Il a l'air contrarié. Ses yeux lancent des éclairs, sa bouche d'horribles blasphèmes. Il cherche visiblement l'autre gentleman, c'est-à-dire notre jeune ami. Il se demande où il peut bien être passé. Au fait, où peut-il bien être passé ?

Regardez, mais sans tourner la tête, ce tonneau qui s'élève dans les airs au bout d'un filin que tire une grue au long col. La grue le dépose délicatement sur le pont de ce navire, là, lisez son nom. Le « Beagle », c'est cela même. Eh bien, je puis vous confier, ainsi gagnerons-nous du temps, que dans ce tonneau se cache le jeune gentleman pressé et, pendant que j'y suis, sachez que ce dernier n'est autre que notre Charles, Charles Darwin, mais oui, c'est lui-même, il a grandi, il va sur ses vingt-deux ans, et le voilà embarqué pour la grande aventure !

Je vous épargne les épisodes trop classiques de la découverte du passager clandestin et de la décision consécutive du capitaine de le laisser continuer le voyage dans son tonneau, puisque après tout il avait l'air de s'y plaire, à la seule condition qu'il se tiendrait à la disposition de tout officier du navire pour lui prodiguer toute satisfaction sentimentale qu'il plairait audit officier de se faire prodiguer, en utilisant dans ce dessein l'orifice du tonneau appelé bonde, à laquelle bonde il ferait coïncider tel ou tel de ses propres orifices naturels dont l'usage semblerait idoine audit officier. Tout ceci fait partie de la routine du voyage en mer au bon vieux temps de la marine à voile. Passons.

Nous voici aux îles Galapagos. Le « Beagle » est en route pour le tour du monde. Il n'a parcouru jusqu'ici que la moitié du chemin mais Charles se fait du souci. Il se dit que le gentleman congestionné l'attend sur le quai avec ses pistolets, et il voudrait bien retarder le moment fatal du retour. Pour l'instant, il est descendu à terre, les officiers et les matelots n'ayant plus besoin de sa présence dans le tonneau : il y a beaucoup mieux à terre pour satisfaire leurs besoins sentimentaux. Pensent-ils.

A terre, il y a les tortues. Et rien d'autre.

... du singe...

Un navire français, le « Bigleux » — coïncidence troublante ou ironie du destin ? — était passé la semaine d'avant, un passager qui prétendait s'appeler Napoléon Bonaparte, nom alors célèbre, avait proposé à toutes les femmes des Galapagos de venir avec lui à Paris où elles danseraient le french cancan et épouseraient le prince de Monaco, l'une après l'autre, bien sûr, le prince étant catholique, et toutes avaient aussitôt embarqué en battant des mains. Elles se retrouvèrent vite fait dans un bordel militaire en Algérie, où la conquête battait son plein, mais bon, ceci est une autre histoire, revenons à la nôtre.

Et les hommes ?

Ah. Les hommes, hein ? Eh bien, voyant s'éloigner à tout jamais leurs compagnes bien-aimées sur la mer infinie, les Galapingouins plongèrent derrière le « Bigleux » et nagèrent de toutes les forces de leurs petites pattes pour le rattraper. C'était compter sans les requins. Les requins accoururent et les mangèrent. Tous ? Tous. Eh, bien...

Voilà pourquoi les hourras de l'équipage du « Beagle » se changent bientôt en rugissements d'amère déception. Pas de femmes. Pas d'hommes à la rigueur. Rien d'un peu chaud, d'un peu vivant à se mettre autour de l'organe esseulé. Que les tortues. Pas chaudes, mais vivantes, oui, un peu. Enormes. Partout. La plage couverte. Les matelots séchèrent leurs pleurs et dirent « Bof... ». Après tout, une tortue, c'est un peu comme un tonneau. Sauf que, dedans, c'est tout froid. Mais la nuit était si chaude, la lune si brillante, la Croix du Sud si semblable à une grosse paire de nichons pour quiconque était obsédé de nichons... Ce fut l'orgie, les pieds léchés par la grande houle du Pacifique.

Longtemps après, tandis que, sous le ciel tropical des tropiques, ronflaient les couples tendrement enlacés qu'amollissait une voluptueuse fatigue, Charles rêvait, laissant son regard absent errer sur le ventre pâle d'une tortue aux yeux débordants de larmes car, maintenant, elle l'aimait d'amour, celui qui l'avait sauvagement déflorée et puis qui l'avait laissée là, la quittant, le volage, pour une autre, sans même la remettre dans le bon sens, c'était un chrétien scrupuleux qui ne voulait pratiquer le coït que dans la position dite « du missionnaire », et donc la pauvrette pleurait et, pathétique, remuait les pattes, en vain.

Le capitaine du « Beagle », un marin barbu au noble profil, s'était assis dans le sable tout contre Charles, et il lui murmurait à voix passionnée :

— Ah, petit moussaillon, comme mon cœur bat ! Et sais-tu pour qui il bat, mille sabords ? Hein, le sais-tu ? Eh bien, il bat pour toi ! Pour toi, cruel ! Bachi-bouzouk ! Ornithorynque ! Ah, comme il bat, sabre de bois !

Charles Darwin dit :

— Ça y est. J'ai tout compris. Tout se tient. Otez deux mains et la queue à un singe, qu'obtenez-vous ? Un homme. L'homme descend du singe. C'est lumineux. L'homme est un singe qui a perdu quelque chose.

— Ah, s'écria le capitaine, je vois bien que tu ne m'écoutes point ! Pourquoi ne m'écoutes-tu point, moussaillon ? Chenapan ! Aztèque ! Iconoclaste ! Moule à gaufres !

Cependant, sourd à tout ce qui n'était pas sa grande idée, Charles poursuivait fiévreusement :

— L'homme descend du singe ! L'autruche descend de la girafe ! Le serpent descend de l'éléphant : il a tout perdu, sauf la trompe... Tout se transforme en tout ! J'ai percé le grand Secret ! Je sais comment Dieu s'y prend ! Capitaine, ceci est une découverte capitale. La science nous réclame. Rentrons immédiatement en Angleterre.

Le capitaine ne savait désormais rien refuser à son Charles (prononcez « Tchâz' », cette fois : c'était un capitaine irlandais). Ils rentrèrent donc en Angleterre, chaque marin emmenant sa tortue bien-aimée, ce qui eut pour conséquence de rendre inutile l'usage du tonneau et permit donc à Charles Darwin de jeter sur le papier les fondements mathématiques de son magistral ouvrage « De l'Origine des Espèces ».

... par l'escalier de service.

La parution du livre provoqua ce qu'il est convenu d'appeler un beau tollé. Seuls, les prêtres furent d'accord. En effet, pensèrent-ils, si l'homme descend du singe, le prêtre descend de l'homme, et ainsi, puisque les choses vont toujours vers le mieux, Dieu descend du prêtre. Mais, on ne sait pourquoi, la reine d'Angleterre et le pape de Rome ne furent pas d'accord, et donc les prêtres, à leur corps défendant, furent parmi les plus enragés adversaires de Darwin.

Les femmes du monde disaient : « Que l'homme procède du singe, cela ne semble point inconcevable. Mais la femme ne saurait descendre que des lis, ou des cygnes, ou des anges... Ne pourriez-vous, Mister Darwin, examiner de plus près vos calculs ? » Darwin fut intraitable.

Certains objectaient : « Mais enfin, si les singes, un jour, ont perdu leur queue, on devrait trouver en abondance des queues de singes fossiles sans singes au bout ! Or, rien, jusqu'ici... »

D'autres, par contre, abondaient dans le même sens que Darwin mais ils allaient trop loin. « L'homme ne descend pas du singe, prétendaient-ils. C'est le singe qui descend de l'homme. En effet, l'homme n'a que deux mains, le singe en a quatre. L'homme est un singe encore imparfait. Dieu a fait le singe à son image. » Et ils se mirent à adorer un singe géant qu'ils nommèrent King-Kong.

Nous en sommes là. Et nous ne pouvons nous empêcher de penser furtivement que si la maman du petit Charles Darwin l'avait à sa naissance plongé dans une lessiveuse pleine d'eau avec une grosse pierre sur le couvercle, comme on le fait pour les petits chats, on n'abrutirait pas notre belle jeunesse avec tous ces livres d'histoire naturelle si compliqués. Le catéchisme suffirait.

LA COMTESSE DE SÉGUR

L E fabuleux destin de la comtesse de Ségur présente avec celui de Victor Hugo de telles hallucinantes similitudes que, trop souvent, les spécialistes les plus qualifiés en histoire de la littérature française les ont pris l'un pour l'autre. Il importe donc avant tout au biographe soucieux du sérieux de son œuvre de se montrer ici d'une vigilance sans faille alliée à une prudence confinant à l'ascèse en ce qui concerne l'absorption de liqueurs spiritueuses pendant les heures consacrées au travail s'il tient à ne pas tomber à son tour dans cette regrettable confusion. Comptez sur moi, je connais mon métier.

Elle avait sous ses jupes...

Fille de général, comme le cher Victor (mais, il est vrai, qui donc n'était pas enfant de général, en cette époque si fertile en généraux ?), elle eût pu, comme lui également,

s'écrier, aux premiers mots de sa propre biographie, « Ce siècle avait deux ans… », car c'était une fieffée menteuse. En fait, « ce » fameux siècle flottait encore dans les limbes de l'avenir quand elle fit son entrée dans le monde, les fesses en avant, présentation dite « par le siège » réputée particulièrement vicieuse et qui fit très fort crier sa chère maman et très vilainement jurer en russe la sage-femme russe, laquelle chiquait un tabac grossier et se crachait dans les mains avant d'arracher le marmot à l'étreinte puissante du monceau d'entrailles, suivant en cela l'usage millénaire des sages-femmes russes. (De récents travaux ont démontré que le jus de chique constitue un excellent antiseptique, quoiqu'il présente l'inconvénient, négligeable à vrai dire, de picoter la muqueuse de la parturiente, toujours un peu sensible en ces émouvantes circonstances, vous savez comment sont les femmes, douillettes et chichiteuses. Je mets cette observation entre parenthèses, car ce n'est pas là à proprement parler de la biographie critique mais bien de la physiologie pathologique, et de la bonne.)

La future comtesse de Ségur, donc, vit le jour en 1799, année remarquable en ce qu'elle clôt le dix-huitième siècle, ainsi que vont le proclamant les ignorants aux oreilles rouges, abusés et fascinés qu'ils sont par les deux zéros tout ronds dont se fait bêtement gloire l'an 1800, alors qu'en fait, ainsi que le savent, sans pour autant s'en vanter mais en réprimant à grand-peine un ricanement d'insultante pitié, les gens vraiment instruits, c'est le 31 décembre 1800 à minuit pile qui termine ce siècle riche en péripéties, le siècle numéroté dix-neuvième ne commençant, avec une ponctualité proprement mathéma tique et en frétillant de la queue, que le 1er janvier 1801. Victor Hugo est donc tombé dans l'erreur vulgaire, « ce » siècle n'avait qu'un an lorsqu'il lui fit l'honneur d'y naître. Victor Hugo est un gros bête, il a volé notre admiration, allons tous ensemble cracher sur sa tombe au Panthéon.

J'ai mentionné plus haut, vous l'aurez peut-être remarqué, du moins je l'espère, une sage-femme russe. Cela vous aura « mis la puce à l'oreille » (en français dans le texte). Sinon, je me vois obligé de constater que vous ne prêtez aucune attention à ce que vous lisez et je vous prie de refermer immédiatement ce livre que vous êtes indigne de posséder. Ce qui suit ne s'adresse qu'aux seuls lecteurs dignes de ce beau nom, à ceux qui, depuis le pénultième paragraphe de cette véridique relation, atten-dent en frémissant que soit enfin levé le voile derrière lequel gît l'irritant mystère de la sage-femme russe. Voici donc.

Cette sage-femme était russe pour la simple raison que ceci se passait en Russie. A Moscou, pour être précis. Vous voyez, on va parfois chercher bien loin alors que l'explication est là,

sous la main. Le papa de la petite Sophie —
vous ai-je dit qu'elle s'appelait Sophie ?
« Sofia » en russe — était comte. Autant vous
prévenir tout de suite, il y aura beaucoup de
comtes dans cette biographie. Si vous n'aimez
pas les comtes, il est encore temps de vous
esbigner sur la pointe des pieds, je fermerai les
yeux. Son papa, donc, était comte. Le comte
Rostopchine. Ils avaient aussi des comtes en
Russie, en ce temps-là, eh oui. Le comte
Rostopchine était, en plus, général et, en tant
que général, gouverneur militaire de Moscou,
ville chère entre toutes aux cœurs vraiment
russes. Arrivé là, il faut absolument que je vous
décrive Moscou.

... le cœur d'une grand-mère...

Figurez-vous des clochers en forme d'oignons, ce qui est déjà en soi d'un exotisme fou,
beaucoup de clochers, beaucoup d'oignons,
beaucoup beaucoup, mais, tenez-vous bien,
tous groupés sur la même église, parfaitement.
Ça, alors !

A Moscou, il n'y avait qu'une église, oui, une
seule, elle est d'ailleurs toujours là, au bout de
la Place Rouge, juste à côté du Kremlin, qui est
une espèce de grand interminable mur excessivement sinistre. Moscou, c'est ça, et rien de

plus : la Place Rouge au milieu, le sinistre mur du Kremlin à droite, l'église aux oignons tout au fond. Vous pouvez vérifier. Toutes les cartes postales représentant des vues de Moscou montrent ça, il n'y a rien d'autre à voir, Moscou c'est ça et le vide intergalactique tout autour. Si vous trouvez une vue de Moscou avec autre chose dessus, je vous paie un demi.

Chez nous, blêmes occidentaux tatillons, c'est « une église pour chaque clocher, chaque clocher sur son église », comme se plaît à le proclamer un proverbe petit-bourgeois et riquiqui. Les Slaves, eux — vous ai-je dit que les Russes sont des Slaves ? —, sont excessifs, fougueux, romantiques, fantaisistes, imprévisibles. Et ivrognes, j'allais oublier. Nous aussi, il nous arrive de boire, d'accord. Mais nous nous tournons vers le mur pour dégueuler. Le Slave, non. Le Slave vomit triomphalement, à la face du ciel. Jusque sur le trottoir d'en face. Et puis il jette la bouteille vide par-dessus l'épaule, et tant pis pour l'innocent touriste (les gens du pays savent voir venir le coup). Alors, voilà. Les Russes, ayant construit une église et mis un clocher dessus, ont trouvé ça tellement beau qu'ils ont battu des mains et ont eu envie d'en mettre un deuxième. Sur la même église, oui. L'église, on s'en fout, c'est le clocher qui fait tout. Il faut dire que ce clocher, en forme d'oignon comme je vous ai expliqué, avait quelque chose de féerique. On s'est toujours demandé, et l'on se demande encore, comment peuvent bien tenir en place les tuiles de la partie du bulbe en surplomb, vous voyez ce que je veux dire. Les tuiles, habituellement, tiennent en place par l'action puissante de l'attraction universelle, familièrement surnommée « gravitation » ou « pesanteur », laquelle, les attirant avec force et persévérance vers le centre de la Terre, les plaque fermement contre la charpente sous-jacente, j'espère que je me fais bien comprendre. Bon. Mais quand elles se trouvent SOUS la charpente, les tuiles, pourquoi la même attraction universelle ne les précipite-t-elle pas vers le bas ? Pourquoi ne se cassent-elles pas la gueule sur les épais crânes russes, les tuiles russes, hein, hein ?

Vous pensez bien que les tentatives d'explication n'ont pas manqué, tout au long des siècles. Certains avancèrent que les tuiles du dessous des oignons étaient collées à la charpente par du caviar, espèce de colle de poisson typiquement russe. Ce qui est ridicule et laisse percer une certaine intention malveillante. Le caviar émet une odeur aussi puissante que caractéristique : exactement, la merde de poisson pourrie. Si tel était le cas, la Russie sentirait la merde de poisson pourrie. Or, tous les voyageurs sont unanimes, la Russie sent le dégueulis de vodka. La cause est entendue.

D'autres vont prétendant que ce sont des oignons de zinc découpé imitant habilement les tuiles. Mais ce serait de la triche, ça ! L'insinuer seulement est gravement offenser le peuple russe, et nous ne sommes certes pas ici pour ça. Non. Il nous faut renoncer à trouver une explication rationnelle et admettre avec enthousiasme que les tuiles du dessous des oignons des clochers russes tiennent en l'air par le seul effet de la ferveur mystique du pieux peuple russe, à condition, cela va de soi, que ledit peuple russe tout entier ne cesse pas un seul instant de concentrer ladite ferveur sur ce but précis : maintenir les tuiles en l'air en dépit des lois de la physique impie. Tant qu'un peuple est occupé à ça, il ne pense pas à mal faire.

Ayant placé un deuxième oignon à côté du premier et ayant trouvé cela tellement plus beau, les Russes, mettez-vous à leur place, eurent envie d'en placer un troisième. Et puis un quatrième. Et puis... Vous me voyez venir. Ce fut bientôt une joyeuse et grouillante grappe d'oignons, se chevauchant, se bousculant, et, notez bien cela, tous de couleurs différentes, leurs tuiles joliment émaillées dans tous les tons de l'arc-en-ciel disposées en écailles, en volutes, en spirales, en damiers... Pour finir, on avait versé dessus à pleins seaux de l'or fondu, qui avait coulé ici et là et brillait au soleil. Les moujiks en guenilles regardaient cela, extasiés, et oubliaient d'avoir faim. Ça tombait bien, c'était juste pour cela qu'on l'avait fait.

... la lyre d'un poète...

Sophie était une adorable petite fille, gourmande, menteuse, sale, envieuse, paresseuse, voleuse, désobéissante et demandant sans cesse comment on fait les enfants. Elle n'arrêtait pas de faire des bêtises. N'eut-elle pas l'idée, un jour de grand froid, d'utiliser sa chère vieille grand-maman comme élément de base d'un bonhomme de neige ? Elle lui avait proposé de jouer au docteur. La vénérable dame battit des mains et se retrouva debout toute nue au milieu de la cour de la caserne tandis que la neige lui tombait dessus comme elle ne tombe qu'en Russie : par colis compacts de deux cent cinquante kilos. En un clin d'œil la comtesse douairière fut transformée en un bonhomme de neige, le plus beau qu'on eût jamais vu, surtout de par l'effet extraordinairement gracieux du chasse-mouches en plumes de paon véritables que Sophie, avec ce sens esthétique inné de l'âme slave, lui avait planté dans le fondement. Lorsque sa chère maman vit cela, elle poussa un cri terrible. Non à cause de la grand-mère gelée, c'était toujours ainsi qu'on faisait les bonshommes de neige, en Russie, avec les vieux inutiles qui traînaient dans les coins et crachaient partout, mais bien parce que le chasse-mouches était une relique vénérée dans la famille, présent d'un Tsar d'autrefois à une comtesse Rostopchine qu'il avait troussée vite fait sur le tas de fumier derrière la grange. La jeune Sophie reçut une effroyable fessée à coups de knout, qui est un martinet aux lanières garnies de clous rouillés, d'hameçons pour le gros et de fers à repasser avec lequel on enseigne les bonnes manières aux petits enfants de l'aristocratie russe.

Après cela, on eût pu croire Sophie guérie de son vilain défaut. Quelle erreur! Ecoutez plutôt.

En ce temps-là, les hordes criminelles des barbares corses fanatisés par le cruel Napoléon venaient d'entrer à Moscou, la ville sainte, sans s'essuyer les pieds, après avoir massacré dans le dos d'innombrables valeureux soldats russes qui les attendaient de l'autre côté.

Le cœur du Tsar, petit père de tous les peuples de Russie, saignait. Il avait dit au général comte Rostopchine, gouverneur de Moscou : « Naturellement, tu te fais tuer sur place plutôt que de rendre Moscou à ce gros Corse qui perd ses cheveux. » « Naturellement, petit père » avait répondu sobrement le comte Rostopchine. Et puis il avait baisé le Tsar sur la bouche, il avait claqué des talons et il était allé accueillir Napoléon, qui donnait des coups de pied dans la porte, tandis que le Tsar sortait par la fenêtre. Il avait dit à Napoléon : « Moscou est à toi, Sire. » Il ne savait pas qu'en Corse on ne tutoie pas l'Empereur. Il ne savait pas non plus qu'on ne baise pas sur la bouche un Empereur corse. Napoléon lui flanqua son pied dans le ventre, cracha, s'essuya la bouche, tendit la main et dit : « Les clefs. » Le comte Rostopchine lui remit la clef du Kremlin, la clef de la cave, la clef de la chambre de la comtesse, et regretta de n'avoir pas davantage de clefs à offrir. Napoléon décida d'essayer les clefs sur-le-champ. Il commença par celle de la chambre de la comtesse.

Cependant la petite Sophie mettait à profit le fait que sa bonne était très occupée avec trente-deux hussards corses pris de boisson qui voulaient à toute force lui faire voir quelque chose, ou qu'elle leur montre quelque chose, on n'a jamais pu éclaircir ce point d'histoire, pour se promener dans les vastitudes du Kremlin. Ce n'étaient partout que soudards corses supportant mal la vodka et vomissant sur les tapis d'Orient, ou bien entassés par escouades entières sur des grandes-duchesses qui riaient aux éclats, chatouillées par leurs bonnets à poils.

Sophie, dans ce désordre, trouva par terre une boîte d'allumettes corses. Elle battit des mains car on avait toujours eu soin de maintenir une certaine distance entre sa personne et toute espèce d'allumette. Elle frotta une allumette. La flamme jaillit, fascinante. Sophie fut très heureuse. « Oh, la belle flamme, pensa-t-elle, on dirait une fleur ! » Et puis elle se dit « Je vais faire grandir cette belle fleur, cela fera une fleur encore plus belle, ce sera très amusant ! »

Elle chercha autour d'elle à quoi elle pourrait bien confier sa flamme pour la faire grandir. Elle aperçut le pan de chemise d'un grenadier corse qui avait baissé son pantalon d'uniforme et se trouvait, en compagnie de quelques camarades, sur la princesse Olga, la propre tante du Tsar, laquelle semblait s'amuser beaucoup. Sophie approcha l'allumette de ce pan de chemise, non sans mal car le grenadier remuait très fort. La flamme sauta sur le pan de chemise, puis sur le grenadier, puis sur les autres grenadiers, puis sur la princesse Olga, puis sur les rideaux, puis sur le Kremlin, puis sur toute la ville. En un clin d'œil, Moscou fut la proie des flammes.

... et une trique en bois de chêne.

C'est ainsi que Napoléon vit se changer en cendres cette ville qu'il avait si durement conquise. Il repartit pour la Corse, l'oreille basse, mais à partir de là c'est sa biographie qui est en cause, ne soyons pas indiscrets.

Naturellement, Sophie fut grondée. Mais elle prétendit que c'était sa bonne qui avait mis le feu et, comme la bonne avait brûlé, il fallut bien s'en contenter. Cette peccadille, cependant, marqua Sophie à tout jamais.

Plus tard, pour expier, elle épousa le comte de Ségur, qui était le neveu d'un général corse ayant failli périr dans l'incendie. Elle écrivit un ouvrage autobiographique, « Les Malheurs de Sophie », terrible témoignage sur les tourments intimes d'une âme éprise d'absolu, qui éclata comme une bombe en ce siècle blasé. Suivirent d'autres œuvres, de plus en plus poignantes et désespérées, où s'impose, irrésistible, l'appel angoissant du néant : « Les Petites Filles modèles », « Les Vacances », « La Sœur de Gribouille », « Un Bon Petit Diable »...

La comtesse de Ségur exerça sur tous les penseurs et les artistes de son temps une fascination morbide. Incapables de se hausser jusqu'à son souverain génie, ils la plagièrent sans vergogne. Sait-on que « Les Petites Filles modèles », odieusement défigurées, devinrent « Les Misérables » de Victor Hugo ? On reconnaît facilement, sous les prénoms grotesques d'Eponine et d'Azelma, Camille et Madeleine, tandis que Sophie la maudite est métamorphosée en Cosette. « Les Malheurs de Sophie », copiés presque mot à mot par le plagiaire Dostoïevski, devinrent « Crime et Châtiment ». Karl Marx puisa copieusement dans « Le Mauvais Génie » pour écrire « Le Capital ». Adolf Hitler se fit tout bonnement traduire « Un Bon Petit Diable » en allemand et l'intitula « Mein Kampf ». On sait ce qu'il en advint.

Puisqu'elle était comtesse, les parents illettrés de ce siècle convenable croyaient qu'elle écrivait des livres édifiants pour la jeunesse bien élevée et ils offraient ces ouvrages à leurs enfants. Nous payons aujourd'hui les suites de cette regrettable méprise. Les deux guerres mondiales, la révolution bolchevique, le nazisme, le rock et le pain qui n'est plus du tout ce qu'il était, voilà où nous a menés cette apologie du néant. Sans compter Saddam Hussein, car la comtesse de Ségur est traduite en arabe.

Elle ne manquait cependant pas de cœur. Passant, après les journées funestes de la Commune, devant le mur du Père-Lachaise au pied duquel des centaines de communards prisonniers, en haillons et mourant de faim, attendaient qu'on les fusillât, elle s'écria : « Finissez-en vite, cela fait désordre ! »

ADAM

L'EXISTENCE d'Adam n'est contestée par aucun historien un peu sérieux, bien que certains soutiennent qu'il ne s'appelait pas Adam, mais Georges-Edmond. Quoi qu'il en soit, là ne gît pas la polémique séculaire que soulève la biographie d'Adam, mais bien autour des difficultés d'interprétation de sa condition de premier homme. Je vais vous expliquer.

Les mille-pattes...

Qu'Adam ait droit au titre glorieux d'ancêtre des humains, nul ne songe à le nier. Le problème, le voici : ou la Bible a raison, ou bien c'est Darwin.

Si la Bible a raison, Dieu créa l'Homme en dernier, après tous les animaux. Or, de l'amibe à l'homme, ainsi que se plaisent à le souligner tous les vrais connaisseurs, on constate une nette amélioration dans les performances, par exemple dans la course à pied, l'invention du

briquet jetable ou la capacité à donner un bouton de culotte à la quête. Les plus ardents partisans de la Bible eux-mêmes sont amenés à en déduire que Dieu n'est pas parvenu du premier coup à mettre au point ce qu'il avait dans l'idée, c'est-à-dire cette petite merveille de technique et de beauté qu'est l'homme, qu'il a donc procédé par essais successifs, qu'il a peu à peu perfectionné son œuvre, et que donc les animaux ne sont autres que des premières ébauches d'homme. Raisonnement parfaitement cohérent, basé d'une part sur l'examen attentif des faits et, d'autre part, sur la parole de Dieu. Or rien ne nous permet de supposer que Dieu puisse être un sale menteur. On peut seulement se demander pourquoi Dieu n'a pas renvoyé au néant ces tentatives ratées comme on jette à la poubelle des gribouillis dont on n'est pas content.

Hé, mais, c'est que Dieu, dans son infinie sagesse, a permis aux animaux de continuer à exister afin de servir à la nourriture de l'homme et à son agrément, rétorquent aussi sec, avec un de ces petits sourires de supériorité qui vous donneraient envie de leur écarteler la gueule jusqu'aux oreilles, les supporters inconditionnels de Dieu.

Ah, oui ? leur rétorqué-je à mon tour. Cependant l'homme ne se nourrit pas de tigres, ni d'araignées, et ce n'est pas dans le trou du cul de l'ours polaire que ses petits-enfants plantent une paille tubulaire afin de, en soufflant très fort, le faire devenir aussi gros que le bœuf... Vous voyez, on pourrait ergoter comme ça à l'infini si l'on était un tant soit peu porté sur les détails.

Examinons l'autre hypothèse. Darwin, oui. Si Darwin a raison, c'est-à-dire, pour vous résumer sommairement la chose, si l'homme descend de tous les animaux successivement en passant par le singe, dernière étape, il se pose à nos esprits perplexes un problème d'un autre genre. Ecoutez attentivement.

Négligeons les étapes préliminaires et portons notre attention sur la toute dernière, du singe à l'homme, c'est cela même. Le raisonnement vaudra pour les autres, de proche en proche. Si, donc, l'homme descend du singe, il y a eu forcément un jour un être qui a commencé singe et qui a fini homme. Ou peut-être qui était à moitié singe et à moitié homme. Ou encore, hypothèse décidément beaucoup plus vraisemblable, un être qui fut le premier homme et un autre qui fut le dernier singe, celui-ci étant le père de l'autre... Hmm. Vous imaginez un homme disant « Papa » à un singe, vous ?

Eh, oui. Vous avez tout compris. Cette théorie est pernicieuse, elle porte atteinte au respect que les enfants doivent à leurs parents et sème la zizanie dans les familles. Car, je vous le demande, si évolution il y a, pourquoi cette fameuse évolution, une fois en route, se serait-elle arrêtée ? Nous serions donc en marche vers quelque chose d'encore mieux, vers un être supérieur qui serait à l'homme actuel ce que lui-même est au singe, appelons cet être « ange », si vous voulez, et donc, de génération en génération, nos enfants seraient un peu plus anges que nous et un peu moins singes ?

Je profite de cette courte pause pour vous faire remarquer que tout ce que je viens de vous raconter jusqu'ici n'a strictement rien à voir avec notre sujet, qui n'est pas l'examen des différentes théories sur l'origine d'Adam, mais bien le récit objectif de sa vie. Et vous ne vous en étiez même pas aperçu ? On vous fait vraiment avaler n'importe quoi !

… croient…

Adam naquit l'an 1, jour 6. Ça, au moins, c'est du sûr et du solide. Ce qu'il fit avant la survenue d'Eve n'offre pour nous autres bons cochons aucun intérêt. Peut-être se masturbait-il ? Etait-il déjà assez intelligent pour avoir inventé ça ? En tout cas, vous, vous attendez Eve, et vous avez bien raison, c'est à partir de là que ça va devenir vraiment excitant.

La Bible dit que Dieu prit une côte à Adam pour en faire Eve. Darwin dit qu'Eve descendait d'une guenon. On vient à peine de commencer, et déjà ça diverge. Qui a raison ? C'est pourtant facile à départager. Manquait-il une côte à Adam ? Si oui, de quel côté ? Penchait-il plutôt à droite ou plutôt à gauche ? Les hommes d'aujourd'hui possèdent-ils le même nombre de côtes de chaque côté ? Je m'étonne que personne n'ait eu l'idée, depuis tous ces millions de siècles, de se livrer à cette toute simple vérification, qui eût péremptoirement tranché la question...

Enfin, bon. Eve est là. C'est une femme nue, de qualité supérieure. Brune de peau mais pas trop, plutôt dorée, si vous voyez, longues jambes, longues longues, nichons bien fermes, un peu lourds avec de gros bouts mauves, taille de... pardi, de guêpe, vastes accueillantes cuisses, large doux accueillant ventre, yeux de gazelle avec beaucoup de noir autour jusqu'aux tempes, sentant très très bon tout partout... J'arrête, je suis dans un état... Ah, les salopes, ce qu'elles font de nous, tout de même !

Adam, cela lui fit le même effet. Un effet formidable, oh là là ! Un effet qui le poussait à faire des choses extraordinaires, tout de suite, là... Mais quelles choses ? Il ne savait pas, cet homme, mettez-vous à sa place. Il n'avait jamais été un petit enfant, n'avait jamais regardé son papa et sa maman par le trou de la serrure. Alors, voilà, il ne savait pas quoi faire, il était bien malheureux. Eve aussi avait envie de quelque chose, une grosse envie, mais elle ne savait pas de quoi. C'était terrible.

... que Dieu...

Dieu vit qu'il fallait les aider. Il fit des signes à Adam. Il arrondit les lèvres et émit le bruit d'un baiser. Adam le regarda très attentivement, mais ne comprit pas où il voulait en venir. Dieu alors s'approcha d'Eve, la prit dans ses grands bras costauds, lui fit des bisous tout partout, dans le cou, derrière l'oreille, au coin des lèvres. Eve se mit à frissonner du haut en bas, puis de bas en haut, puis dans toutes les directions à la fois. Elle entrouvrit les lèvres pour un long gémissement. La langue de Dieu, qui justement passait par là, glissa et tomba dans l'ouverture, jusqu'au fond. A partir de là, les choses coururent comme elles courent, et va les retenir, toi !

Au bout d'un certain temps, Dieu reprit le contrôle. Il se fit d'amers reproches. Il comprit soudain quel était le danger de faire l'homme à l'image de Dieu, car alors la réciproque fonctionne : Dieu est à l'image de l'homme, et tout ce qui s'ensuit... Cependant, Adam lui frappait sur l'épaule et disait :

— Ça y est, cette fois j'ai compris, Seigneur. A mon tour. Laissez-moi la place, s'il vous plaît.

Ainsi fut fait. Mais Dieu n'en était pas moins très fâché de s'être ainsi laissé aller avec une créature. Les Temps n'étaient pas encore venus. La conception miraculeuse du petit Jésus n'était pas programmée pour cette fois-là. N'empêche qu'Eve était enceinte. Et pas des œuvres d'Adam : la place était déjà prise. Car Dieu ne saurait rater son coup, ou alors il ne serait pas Dieu, enfin, voyons.

Il découle de ceci qu'Adam ne fut pas seulement le premier homme, mais aussi le premier cocu. Et aussi le premier imposteur : ce n'est pas lui le véritable père fondateur de l'humanité. On peut lui accorder, comme circonstance atténuante, que ce n'était pas sa faute. Il ne savait même que c'était comme cela que se faisaient les enfants.

... les a faits...

Dieu, cependant, cherchait comment se sortir de ce mauvais pas. Enfin, il trouva. Il eut l'idée du coup de la pomme. Il dit à Adam et à Eve :

— Vous voyez ces belles pommes, sur cet arbre ?

— Oui, Seigneur, répondirent-ils.

— Eh bien, je vous interdis d'en manger.

— Bien, Seigneur.

— Elles sont délicieuses, vous savez. Et je ne peux pas toujours être là à vous surveiller.

— Oh, ça ne fait rien, Seigneur. Nous respecterons votre volonté.

Et ainsi firent-ils. Dieu trépignait. Ces petits cons étaient vraiment obéissants ! Alors, Dieu créa le serpent. Le serpent savait ce qu'il avait à faire. Il fit un clin d'œil à Dieu, un clin d'œil plutôt canaille, et puis il s'en alla sans se presser discuter pomme avec Eve.

Ce qui s'ensuivit, vous le savez, c'est dans le catéchisme. Dieu se mit dans une épouvantable colère, dit que c'était de manger des pommes qui faisait pousser les bébés dans le ventre des bonnes femmes, et qu'Adam aurait dû la retenir, qu'il était aussi coupable qu'elle, qu'on ne pouvait pas tourner le dos un instant sans qu'ils fassent des bêtises, et que, bref, il les foutait dehors sans préavis, et que s'ils voulaient manger du pain il leur faudrait d'abord faire pousser le blé, et qu'au bout de tout ça ils deviendraient vieux et très laids et crèveraient la gueule ouverte et les quatre pattes en l'air, ah mais.

Dieu ajouta en post-scriptum que cela ne les dispensait nullement de l'aimer et de l'adorer à chaque instant, lui, Dieu, et de lui dire des paroles d'amour et des prières, et de lui chanter des cantiques très beaux. Rompez.

Adam fut tout honteux d'avoir été aussi bête. Il ne savait pas ce que c'était que travailler, mais d'avance il sentait qu'il n'aimait pas ça. Il aurait bien voulu retourner dans les arbres, redevenir singe, et même lézard, ver de terre ou microbe de la fièvre aphteuse, et même un truc pas encore créé, il aurait bien voulu... Hélas, l'évolution ne fonctionne pas à rebrousse-poil. Une fois la mécanique enclenchée, elle ne connaît que la marche avant, et même que la marche-ou-crève.

Il ne pouvait même pas aller au bistrot raconter ses malheurs aux copains. Il n'y avait pas de bistrot, ni de copains. C'est dur, les commencements.

Pourtant, les copains, ça aide bien. Ça fait semblant de vous plaindre et ça vous traite de pauvre con et de cocu par derrière en rigolant tant que ça peut, mais bon, ça fait semblant, on n'en demande pas plus. Il y a des moments, dans la vie, où ce dont on a besoin par-dessus tout c'est une main hypocrite sur votre épaule.

... à son image. Hi ! Hi !

Adam commença par foutre une beigne sur l'œil d'Eve, et puis ils se mirent à creuser la terre pour y faire pousser le blé. Ce fut encore plus désagréable qu'ils l'avaient pressenti. Les bœufs manquaient pour tirer la charrue. C'est-à-dire, il y avait bien des taureaux folâtres qui gambadaient de-ci de-là, mais ils ne voulaient absolument pas coopérer. Ils venaient gentiment quand on les appelait, mais quand ils comprenaient qu'Adam voulait les châtrer et les atteler, ils partaient d'un grand rire, lui donnaient un coup de corne amical et retournaient chevaucher les blanches génisses. Et bon, Eve se remettait entre les grossiers brancards de la charrue de bois, Adam s'asseyait sur le machin de la charrue prévu pour ça afin que le soc s'enfonce bien profondément et, l'un fouettant l'autre, nos deux héros accomplissaient leur destin.

Le soir, ils faisaient entre eux les si délicieuses choses sales que Dieu leur avait apprises, et c'était très bon, et ils se dirent que finalement et l'un dans l'autre ils avaient peut-être perdu le paradis terrestre, mais que tout bien pesé ça valait la peine, et vachement, tiens !

C.

LE CHEVALIER D'ÉON

Est-elle homme ?
Est-il femme ?
Quand on le sait, il est trop tard !

I – Souvent femme varie

— L'ETRANGE créature... murmura rêveusement le roi en remettant de l'ordre dans sa tenue d'intérieur. Est-ce un homme ? Est-ce une femme ? Est-ce les deux ? Est-ce ni l'un ni l'autre ? Mystère...

Cependant, enveloppé dans sa cape couleur de muraille, un inconnu s'enfonçait dans la nuit.

— Ce que je suis ? ricana-t-il. Ah ! ah ! ah ! Tu voudrais bien le savoir, roi François, premier du nom ! Mais ceci est un secret entre le diable et moi. D'ailleurs, le sais-je bien moi-même ?

A ce moment, la lune, émergeant des nuages, frappa de ses pâles rayons la silhouette furtive. Un cri strida :

— Eon ! Eon ! Eon !

L'ombre frissonna violemment.

— *Damned* (1)! s'écria-t-elle en portant vivement la main à la poignée de l'épée qui lui battait le flanc gauche, serais-je démasqué? *Diavolo* (2)! Messire l'indiscret, je vous vais enseigner la discrétion, ou plutôt, ma bonne lame *de Toledo* (3) s'en chargera.

Le cri terrible retentit encore.

— Eon! Eon! Eon!

L'épée fulgura. Les buissons s'écartèrent.

Un bel oiseau apparut, auréolé d'un éventail de plumes multicolores. L'inconnu — car c'était lui — rengaina.

— Un paon! s'écria-t-il. Par ma foi, tu me plais, volaille. Puisque tu connais le secret de mon nom, tu ne me quitteras plus.

Et, le paon désormais perché sur sa tête altière, l'étrange personnage, avec un ricanement sardonique, s'enfonça dans la nuit.

**
*

Quelques semaines après ces dramatiques événements, le roi de France était en conversation privée avec Messire Ambroise Paré, en un cabinet secret du Louvre.

(1) Damné.
(2) Diable.
(3) De Tolède.

— Adoncques, messire mon chirurgien, l'ay-je ?

— Sire, vous l'avez.

— Vous m'en voyez ravi. Et d'où la tiens-je ?

— Sire, les jours de l'homme sont en la main de Dieu.

— Eh bien, il n'avait guère les mains propres...

A ce moment, une voix formidable retentit :

— Eon ! Eon ! Eon !

François Ier blêmit. Courant à la fenêtre, il scruta la nuit épaisse. Il ne vit rien. Rien qu'une ombre plus noire que l'ombre qui se fondit dans l'ombre en ricanant sinistrement.

— *Caramba* (1) ! rugit le malheureux roi à voix basse.

II – Du soleil en boîte

— Sire, dit Mademoiselle de La Vallière, je le vois bien, Votre Majesté ne m'aime plus autant. Hélas, qu'ai-je fait au bon Dieu ?

— Mademoiselle, dit le roi, voilà d'une hardiesse étrange. Oser Nous interpeller aussi librement, à Notre petit lever, devant la fleur de Notre noblesse prosternée à Nos pieds ? Son-

(1) Mon Dieu !

gez-vous bien que c'est là frôler la lèse-majesté ?

Au mot terrible, l'assistance frémit. Les dos plongèrent vers le sol, les perruques glissèrent vers les nez. A quatre pattes, comme les autres, la douce La Vallière murmura, d'une voix qu'étouffaient les sanglots et le tapis des Gobelins :

— Oh, Sire, Votre Majesté sait bien que jamais je ne me fusse permis, si, privée depuis de longs jours de Votre Présence, je n'avais été au bord du trépas. Ah, Sire, pourquoi plonger en mon sein le fer d'une homicide alarme ?

— Mademoiselle, dit le roi, c'en est assez. Il Nous agréerait que vous allassiez en quelque lieu paisible et retiré donner vos soins à cette humeur chagrine qui vous brouille le teint et Nous émeut à compassion.

— Sire, vous me chassez... Qu'il en soit selon Votre bon plaisir.

Mademoiselle de La Vallière se releva, assez malaisément à cause de sa grossesse bien avancée, et s'en alla, donnant le sein à son dernier-né. Dix-sept bâtards royaux la suivirent.

— Une bonne chose de faite, dit le roi, se soulevant de sur sa chaise percée et présentant son royal sphincter au gentilhomme honoré ce jour-là des fonctions de porte-coton, faveur extrêmement recherchée.

— Eh bien, Monsieur d'Artagnan, lança le roi, par-dessus son épaule, à ce gentilhomme absorbé par sa tâche, qu'en est-il de cette affaire dont Nous vous chargeâmes ?

— Sire, répondit l'artiste, veuille Votre Majesté ne point se retourner ainsi, ma main risquerait de manquer son but et d'outrager Votre auguste face. L'affaire est en excellente voie. La personne brûle de se dévouer au service de Votre Majesté.

— Nous la verrons donc ce soir. Cher Monsieur d'Artagnan, vous êtes un habile homme. Et si votre doigté s'avère en toutes choses aussi parfait, nous ferons de nous un général de Nos mousquetaires.

*
**

Cette même nuit, dans un bosquet du parc de Versailles, deux ombres attendaient.

— D'Artagnan, dit l'une des ombres — et sa voix était ensorceleuse —, je vois là-bas venir le roi. Je crois que votre présence ne s'impose plus.

— Milady, je vous laisse. Mais n'oubliez pas nos conventions : moitié-moitié pour le petit cadeau.

— Je n'ai qu'une parole, mon cher. Disparaissez !

*
**

— Madame, dit le roi, l'on Nous a avisé du puissant désir que vous avez de Notre royale présence. Nous voilà.

— Sire !

— Relevez-vous, Madame. Notre royale bonté ne permettra pas que la Grâce et la Beauté s'humilient devant elle.

— Sire, je n'oserais…

— C'est donc Nous qui descendrons à votre niveau. Cela sied à Notre royale bonhomie, dit le roi.

A peine le roi se fut-il agenouillé que Milady — car c'était elle — brandit en un geste preste l'objet qu'elle cachait derrière son dos. Un déclic sinistre brisa le silence. Un rire sardonique lui fit écho.

— Comme un rat ! Roi Louis, mon petit Roi-Soleil, tu ne donneras plus de cloques à personne. Te voilà masqué de fer pour le restant de tes jours. Cet acier défie le diamant, la serrure est inviolable et il n'existe pas de clef. Ta voix n'en peut sortir. Tu es désormais le Masque de Fer.

— Brglmbrgl !… dit le roi

— Qui je suis ? Ha, ha ! Suis-je une femme ? Suis-je un démon ? Cherche…

A ce moment, un cri funèbre déchira la nuit.

— Eon ! Eon ! Eon !

Un oiseau étincelant se posa sur la tête de Milady — mais était-ce bien elle ?

La diabolique créature appela :

— Holà, mes spadassins ! Holà, mes estaffiers ! A cheval !

Des buissons jaillit une troupe d'hommes et de chevaux de mauvaise mine.

— Palsambleu, s'écria d'Artagnan, s'arrachant aux baisers de Madame Molière. Ce cri ! Je suis joué !

N'écoutant que son courage, il s'élança, se prit les pieds dans ses bretelles et tomba. Son nez porta sur un caillou fort dur. Avant de sombrer dans l'inconscience, il eut le temps de crier « Damned ! ». Car il étudiait les langues étrangères.

Le cours de l'Histoire venait de changer de direction.

III – L'aigle et le paon

— Bon, dit l'Empereur. Arrêtons-nous ici. On séra bien, là, pour sé battré. Zé sérai à l'ombré, dans cé pétite moulin.

Il se frotta les mains.

— Ah, ah ! Monssou Wellingtoné ! Zé vais vous flanquer ounè dè ces pilés ! Ney, viens-là, mon vieux fidèlé. Combien dé morts ?

— Sire, je pense qu'on ne peut rien faire de sérieux au-dessous de cent mille.

— Mettez cent cinquanté. Zé veux quelqué çozé dé bien.

Ney prend note sur son calepin.

— Et comme boisson ?

— Oun pétit blanc sec, bien frappé, avec la préparation d'artillérie. Bourgogné rouzé avec la çarzé dé la cavallerie, et çampagné pour lé dessert : remisé dé l'épée del Wellingtoné, visité aux blessés avec pinçéments d'oreillés et paroles affectuosés. Ah ! Bertrand, mon pétit, pondez-moi quelqués parolés historiques, pourquoi mon stock il commencé à s'épouiser. Masseur !

Un individu en uniforme de maréchal de France s'avance.

— Massez-moi lé gras dou poucé et les mousclés de l'index. Qué zé vais avoir quelqués milliers d'oreillés à pincer et qué zé veux pas qué la crampé ellé mé prenné. Quand zé leur pincé l'oreille, on leur coupé la zambé et ils gueulent pas. Ils sont contents.

**
*

L'Empereur, l'œil à la lorgnette, examine la bataille.

— Ça traîné, ça traîné ! Ça né finira pas avant la nouit. Ils s'amousent, les coquins ! Ney !

— Sire !

— Combien dé morts, zousqu'ici ?

— Deux cent mille, sire.

— C'est bien. Il faut cé qu'il faut. Voulez-vous faire activer les çoses ? Z'ai bal aux Touileries, cé soir, pour fêter la victoiré.

252

— Sire, on fait pour le mieux. Ces Anglais sont mauvais joueurs.

— Et Grouchy, il arrivé ?

— Justement, le voilà.

— Alors, ça va êtré nettoyé en moins dé deux. Cric, crac !

Dans un tourbillon de poussière, une armée de grands flandrins à cheval arrive au galop, taillant dans la masse à coups de sabre et chantant :

Napoléon est mort à Sainte-Hélène, etc.

A leur tête, un gracieux général au casque abondamment emplumé. Ils pénètrent dans la vieille garde qui s'éparpille en morceaux dans l'atmosphère. Un bras qui tient un sabre et une cuisse bottée tombent sur la table de l'Empereur. Celui-ci applaudit avec enthousiasme.

— Les bravés zens ! Bravo ! Zé né mé souis pas amousé autant dépouis Austerlitz.

— Sire, je me permets de faire respectueusement remarquer à Votre Majesté que ce sont les Prussiens de Monsieur de Blücher, et que ces débris qui tombent, c'est votre vieille garde.

— Ma, c'est pas possiblé ! Ecoutez : ils disent « Vivé Napoléon ».

En effet, on entend, au-dessus du vacarme, retentir par trois fois ce cri :

— Eon ! Eon ! Eon !

— Hélas, Sire, ce n'est que le cri de l'oiseau de mauvais augure qui gîte sur la tête de ce bélître aux façons efféminées. Tout est perdu, Sire, sauve qui peut !

A ce moment, percé de toute part, le général Cambronne tombe. Il veut crier quelque chose de bien senti mais, comme il ouvre la bouche, un godillot anglais lui écrase les gencives et c'est autant de perdu pour la postérité.

L'Empereur trépigne.

— Il y a oun erreur quelqué part ! Cé pétite Wellingtoné s'est trompé ! Il faut récommencer à zéro.

— Sire, c'est terminé.

— Ah mais, ça né sé passéra pas commé ça ! Zé veux mourir ! Zé mé zetté dans la fournaisé ! Zé souis déshonoré ! Ouné, deux, trois, z'y vais.

— Sire ! Non ! Vous vous devez à votre peuple !

— Vous y avez mis lé temps ! Ouille, qué vous me serrez fort ! Laissez-moi, zé veux mourir ! Laissez-moi...

IV – Ces princes qui nous gouvernent

Colombey-les-Deux-Eglises, 13 mai 1958.

— Mon général, la voiture est prête.

— C'est bien, j'y vais.

Quelques instants plus tard, l'automobile noire file vers Paris.

— Jean !

Le chauffeur se tourne.

— Mon général ?

— Mais... Vous n'êtes pas Jean ! Trahison ! Arrêtez immédiatement !

Le chauffeur sourit — un adorable sourire — et accélère. Un sifflement léger, une odeur pharmaceutique. Le général sent sa tête s'embrumer.

— Je... je vous reconnais. Vous êtes... la... princesse...

Sa tête retombe. Il ronfle. Sur le siège, près du chauffeur — hum... — un bel oiseau dresse la tête :

— Eon ! Eon ! Eon !

*
**

Monaco. Même jour.

— Votre Altesse peut remercier mon Altesse. Le colis est à bon port. Dans quel aquarium faut-il le mettre ?

— Nous verrons cela. Vite, mon faux nez, mes échasses, mon faux ventre ! Ça y est. En route pour Paris. A bientôt, Grace.

— Bonne chance, Niénier !

— Eon ! Eon ! Eon !

V – Fraîche et joyeuse,
propre et chirurgicale

Palais de l'Elysée, janvier 1991.

L'immense prière monte comme un encens.

— O toi, Tout-Puissant, par la grâce de la Rose-au-Poing créateur de toutes choses en ce royaume de France, tu nous as donné Lang, Hernu, Rocard, Jospin, Bérégovoy, Tapie et toute une charretée d'autres clowns, tu nous as donné les fausses factures et l'impôt de solidarité, tu nous as donné les attentats corses et le piratage du « Rainbow Warrior », tu nous as donné les terroristes irlandais et les footballeurs escrocs, nous t'en sommes reconnaissants, tu t'es donné du mal pour nous distraire, mais, vois-tu, malgré tout, nous, les Français, nous nous emmerdons. Nous regardons tout ça sur nos télés et nous nous demandons pourquoi nous payons la taxe. O Dieu tout-puissant, crée quelque chose ! Mets dans nos télévisions des spectacles amusants ! Réveille-nous, ô Dieu !

Dieu dans son Elysée fronce un soucieux sourcil. Il est bien ennuyé. Alors apparaît un ange. Est-il mâle ? Est-il femelle ? Les anges ont-ils un sexe ? En ont-ils deux ? Un oiseau chatoyant siège sur sa tête adorable. L'ange se penche vers l'oreille de Dieu. Il murmure quelque chose. Dieu écoute. Dieu opine. Dieu sourit.

Dieu parle :

— Françaises, Français, du haut de cette pyramide de plexiglas hideuse et pointue, je déclare solennellement ouverte sur toutes vos chaînes de télévision la Guerre du Golfe.

Ovation. Une voix s'élève, timide :

— C'est où, le Golfe ?

Dieu sourit.

— C'est loin, très loin. Aucun danger d'éclaboussures. Rien que du sable à perte de vue sans un être vivant dessus. C'est un endroit comme ça, bien commode pour faire la guerre sans rien abîmer. Nous allons lancer là-dessus nos avions renifleurs de poignards sous les burnous, nos missiles à tête chercheuse d'un coin pour le pique-nique, nos bombes qui demandent pardon avant d'exploser, nos torpilles qui contournent l'homme pour aller frapper le mur, nos roquettes qui font sauter le fusil des mains d'une petite tape amicale, nos obus à queue de sparadrap qui pansent les blessures qu'ils pourraient faire par inadvertance, nos grenades à remords de conscience et nos mines bénies par le pape, modèle « Ça me fait plus de mal qu'à toi mais je dois le faire », enfin, bref, tout l'arsenal ultra-moderne de la guerre propre mis au point par nos savants socialistes dans nos ateliers humanitaires. Et pour donner un peu de couleur à la chose, je permets à nos amis américains de venir faire des trous dans le sable avec nous. J'ai parlé.

Dieu disparaît derrière un nuage. Un ricannement sardonique retentit :

— Eon ! Eon ! Eon !

Achevé d'imprimer en mai 1993
sur les presses de l'Imprimerie Bussière
à Saint-Amand (Cher)

PRESSES POCKET - 12, avenue d'Italie - 75627 Paris Cedex 13
Tél. : 44-16-05-00

— N° d'imp. 1102. —
Dépôt légal : juin 1993.

Imprimé en France